HANS JAKOB CHRISTOPH
VON GRIMMELSHAUSEN

# Der abenteuerliche
# Simplicissimus

GEKÜRZTE AUSGABE

D0976445

HERAUSGEGEBEN VON
WALTER SCHAFARSCHIK

PHILIPP RECLAM JUN. STUTTGART

der Abenteuerliche
Simplicissimus Teutsch

Ich wurde durchs Fewer wie Phoenix geborn.
Ich flog durch die Lüffte! würd doch nit verlorn.
Ich wandert durchs Wasser, ich raißt über Landt,
in solchem Umbschwermen macht ich mir bekandt,
was mich offt betrübet und selten ergeht,
was war das? Ich habs in diß Buche gesetzt,
damit sich der Leser gleich, wie ich jtzt thue,
entferne der Thorheit und lebe in Rhue.

Der Abentheurliche

# SIMPLICISSIMUS

## Teutsch /

Das ist:
Die Beschreibung deß Lebens eines
seltzamen Vaganten / genant Melchior
Sternfels von Fuchshaim / wo und welcher
gestalt Er nemlich in diese Welt kommen / was
er darinn gesehen / gelernet / erfahren und auß-
gestanden / auch warumb er solche wieder
freywillig quittirt.

Überauß lustig / und männiglich
nutzlich zu lesen.

An Tag geben
Von

GERMAN SCHLEIFHEIM
von Sulsfort

Monpelgart /
Gedruckt bey Johann Fillion /
Im Jahr M DC LXIX.

Universal-Bibliothek Nr. 7452/53
Alle Rechte vorbehalten. © Philipp Reclam jun. Stuttgart 1970
Gesetzt in Petit Garamond-Antiqua. Printed in Germany 1971
Herstellung: Reclam Stuttgart
ISBN 3 15 007452 5

## ERSTES BUCH

## Das I. Kapitel

Es eröffnet sich zu dieser unserer Zeit (von welcher man glaubt, daß es die letzte seie) unter geringen Leuten eine Sucht, in deren die Patienten, wann sie daran krank liegen und so viel zusammengeraspelt und erschachert haben, daß sie neben ein paar Hellern im Beutel ein närrisches Kleid auf die neue Mode, mit tausenderlei seidenen Banden, antragen können, oder sonst etwan durch Glücksfall mannhaft und bekannt worden, gleich rittermäßige Herren und adeliche Personen von uraltem Geschlecht sein wollen; da sich doch oft befindet, daß ihre Voreltern Taglöhner, Karchelzieher und Lastträger: ihre Vettern Eseltreiber: ihre Brüder Büttel und Schergen: ihre Schwestern Huren: ihre Mütter Kupplerin, oder gar Hexen: und in Summa, ihr ganzes Geschlecht von allen 32 Anichen her, also besudelt und befleckt gewesen, als des Zuckerbastels Zunft zu Prag immer sein mögen; ja sie, diese neue Nobilisten, seind oft selbst so schwarz, als wann sie in Guinea geboren und erzogen wären worden.

Solchen närrischen Leuten nun mag ich mich nicht gleichstellen, ob zwar, die Wahrheit zu bekennen, nicht ohn ist, daß ich mir oft eingebildet, ich müsse ohnfehlbar auch von einem großen Herrn, oder wenigst einem gemeinen Edelmann, meinen Ursprung haben, weil ich von Natur geneigt, das Junkernhandwerk zu treiben, wann ich nur den Verlag und den Werkzeug darzu hätte. Zwar ohngescherzt, mein Herkommen und Auferziehung läßt sich noch wohl mit eines Fürsten vergleichen, wann man nur den großen Unterschied nicht ansehen wollte. Was? Mein Knan (dann also nennet man die Vätter im Spessert) hatte einen eignen Palast, so wohl als ein anderer, ja so artlich, dergleichen ein jeder König mit eigenen Händen zu bauen nicht vermag, sondern solches in Ewigkeit wohl unterwegen lassen wird; er war mit Leimen gemalet und anstatt des unfruchtbaren Schiefers, kalten Blei und roten Kupfers mit Stroh bedeckt, darauf das edel Getreid wächst; und damit er, mein Knan, mit seinem Adel und Reichtum recht prangen möchte, ließ er die Mauer um sein Schloß nicht mit Mauersteinen, die man am Weg findet oder an unfruchtbaren Orten aus der Erden gräbt, viel weniger mit liederlichen gebachenen Steinen, die in geringer Zeit verfertigt und gebrennt werden können, wie andere große Herren zu tun pflegen, aufführen; sondern er nahm Eichenholz darzu, welcher nutzliche edle Baum, als worauf Bratwürste und fette Schunken wachsen, bis zu seinem vollständigen Alter über hundert Jahr erfordert: Wo ist ein Monarch, der ihm dergleichen nachtut? Seine Zimmer, Säl und Gemächer hatte er inwendig vom Rauch ganz erschwarzen lassen, nur darum, dieweil dies die beständigste Farb von der Welt ist und dergleichen Gemäld bis zu seiner Perfektion mehr Zeit brauchet, als ein künstlicher Maler zu seinen trefflichsten Kunststücken erfordert; die Tapezereien waren das zärteste Geweb auf dem ganzen Erdboden, dann diejenige machte uns solche, die sich vor alters vermaß, mit der Minerva selbst um die Wett zu spinnen; seine Fenster waren keiner anderer Ursachen halber dem Sant Nitglas gewidmet, als darum, dieweil er wußte, daß ein solches, vom Hanf oder Flachssamen an zu rechnen, bis es zu seiner vollkommenen Verfertigung gelangt, weit mehrere Zeit und Arbeit kostet, als das beste und durchsichtigste Glas von Muran, dann sein Stand macht ihm ein Belieben zu glauben, daß alles dasjenige, was durch viel Mühe zuwegen gebracht würde, auch schätzbar und desto köstlicher sei, was aber köstlich seie, das seie auch dem Adel am anständigsten; anstatt der Pagen, Lakaien und Stallknecht hatte er Schaf, Böcke und Säu, jedes fein ordenlich in seine natürliche Liberei gekleidet, welche mir auch oft auf der Weid aufgewartet, bis ich sie heimgetrieben. Die Rüst- oder Harnischkammer war mit Pflügen, Kärsten, Äxten, Hauen, Schaufeln, Mist- und Heugabeln genugsam versehen, mit welchen Waffen er sich täglich übet; dann Hacken und Reuten war seine disciplina militaris, wie bei den alten Römern zu Friedenszeiten, Ochsen anspannen war sein hauptmannschaftliches Kommando, Mist ausführen sein Fortifikationwesen, und Ackern sein Feldzug, Stallausmisten aber sein adeliche Kurzweil und Turnierspiel; hiermit bestritte er die ganze Weltkugel, soweit er reichen konnte, und jagte ihr damit alle Ernt ein reiche Beut ab. Dieses alles setze ich hindan und überhebe mich dessen ganz nicht, damit niemand Ursach habe, mich mit andern meinesgleichen neuen Nobilisten auszulachen, dann ich schätze mich nicht besser, als mein Knan war, welcher diese seine Wohnung an einem sehr lustigen Ort, nämlich im Spessert liegen hatte, allwo die Wölf einander gute Nacht geben. Daß ich aber nichts Ausführliches von meines Knans Geschlecht, Stammen und Namen vor diesmal doziert, beschiehet um geliebter Kürze willen, vornehmlich, weil es ohnedas allhier um keine adeliche Stiftung zu tun ist, da ich soll auf schwören; genug ists, wann man weiß, daß ich im Spessert geboren bin.

Gleichwie nun aber meines Knans Hauswesen sehr adelich vermerkt wird, also kann ein jeder Verständiger auch leichtlich schließen, daß meine Auferziehung derselben gemäß und ähnlich gewesen; und wer solches davorhält, findet sich auch nicht betrogen, dann in meinem zehenjährigen Alter hatte ich schon die principia in obgemeldten meines Knans adelichen Exerzitien begriffen, aber der Studien halber konnte ich neben dem berühmten Amplistidi hin passieren, von welchem Suidas meldet, daß er nicht über fünfe zählen konnte; dann mein Knan hatte vielleicht einen viel zu hohen Geist und folgte dahero dem gewöhnlichen Gebrauch jetziger Zeit, in welcher viel vornehme Leut mit Studieren, oder wie sie es nennen, mit Schulpossen sich nicht viel bekümmern, weil sie ihre Leut haben, der Plackscheißerei abzuwarten. Sonst war ich ein trefflicher Musikus auf der Sackpfeifen, mit deren ich schöne Jalemigesäng machen konnte: Aber die Theologiam anbelangend, laß ich mich nicht bereden, daß einer meines Alters damals in der ganzen Christenwelt gewest seie, der mir darin hätte gleichen mögen, dann ich kennete weder Gott noch Menschen, weder Himmel noch Höll, weder Engel noch Teufel, und wußte weder Gutes noch Böses zu unterscheiden: Dahero ohnschwer zu gedenken, daß ich vermittelst solcher Theologiae wie unsere erste Eltern im Paradies gelebt, die in ihrer Unschuld von Krankheit, Tod und Sterben, weniger von der Auferstehung nichts gewußt. O edels Leben! (du mögst wohl Eselsleben sagen) in welchem man sich auch nichts um die Medizin bekümmert. Eben auf diesen Schlag kann man mein Erfahrenheit in dem studio legum und allen andern Künsten und Wissenschaften, soviel in der Welt sein, auch verstehen. Ja ich war so perfekt und vollkommen in der Unwissenheit, daß mir unmüglich war zu wissen, daß ich so gar nichts wußte. Ich sage noch einmal: o edles Leben, das ich damals führete! Aber mein Knan wollte mich solche Glückseligkeit nicht länger genießen lassen, sondern schätzte billich sein, daß ich meiner adelichen Geburt gemäß auch adelich tun und leben sollte, derowegen fienge er an, mich zu höhern Dingen anzuziehen und mir schwerere Lectiones aufzugeben.

## Das II. Kapitel

Er begabte mich mit der herrlichsten Dignität, so sich nicht allein bei seiner Hofhaltung, sondern auch in der ganzen Welt befande, nämlich mit dem Hirtenamt: Er vertraut mir erstlich seine Säu, zweitens seine Ziegen, und zuletzt seine ganze Herd Schaf, daß ich selbige hüten, weiden, und vermittelst meiner Sackpfeifen (welcher Klang ohnedas, wie Strabo schreibet, die Schaf und Lämmer in Arabia fett macht) vor dem Wolf beschützen sollte. Damal gleichete ich wohl dem David, außer daß jener, anstatt der Sackpfeife, nur eine Harpfe hatte, welches kein schlimmer Anfang, sondern ein gut Omen für mich war, daß ich noch mit der Zeit, wann ich anders das Glück darzu hätte, ein weltberühmter Mann werden sollte; dann von Anbeginn der Welt seind jeweils hohe Personen Hirten gewesen, wie wir dann vom

Abel, Abraham, Isaak, Jakob, seinen Söhnen und Moyse selbst in H. Schrift lesen, welcher zuvor seines Schwähers Schaf hüten mußte, ehe er Heerführer und Legislator über 600 000 Mann in Israel ward. [ . . .]

Aber indessen wieder zu meiner Herd zu kommen, so wisset, daß ich den Wolf ebensowenig kennet, als meine eigene Unwissenheit selbsten; derowegen war mein Knan mit seiner Instruktion desto fleißiger. Er sagte: »Bub, biß fleißig, loß di Schoff nit ze weit vunananger laffen, un spill wacker uff der Sackpfeifa, daß der Wolf nit kom, und Schada dau, dann he yß a solcher feyerboinigter Schelm un Dieb, der Menscha und Vieha frißt, un wan dau awer far- lässj bißt, so will eich dir da Buckel arauma.« Ich antwortet mit gleicher Holdseligkeit: »Knano, sag mir aa, wey der Wolf seyhet? Eich huun noch kan Wolf gesien.« »Ah dau grober Eselkopp, repliziert er hinwieder, dau bleiwest dein Lewelang a Narr, geith meich wunner, was auß dir wera wird, bißt schun su a grusser Dölpel, un waist noch neit, was der Wolf für a feyerfeussiger Schelm iß.« Er gab mir noch mehr Unterweisungen und wurde zuletzt unwillig, maßen er mit einem Gebrümmel fortgieng, weil er sich be- dunken ließe, mein grober Verstand könnte seine subtile Unterweisungen nicht fassen.


## Das III. Kapitel


Da fienge ich an mit meiner Sackpfeifen so gut Geschirr zu machen, daß man den Krotten im Krautgarten damit hätte vergeben mögen, also daß ich vor dem Wolf, welcher mir stetig im Sinn lag, mich sicher genug zu sein bedunkte; und weilen ich mich meiner Meuder erinnert (also heißen die Mütter im Spessert und am Vogelsberg) daß sie oft gesagt, sie besorge, die Hühner würden dermaleins von meinem Ge- sang sterben, als beliebte mir auch zu singen, damit das Re- medium wider den Wolf desto kräftiger wäre, und zwar ein solch Lied, das ich von meiner Meuder selbst gelernet hatte:

Du sehr verachter Baurenstand,
Bist doch der beste in dem Land,
Kein Mann dich gnugsam preisen kann,
Wann er dich nur recht siehet an.

Wie stünd es jetzund um die Welt,
Hätt Adam nicht gebaut das Feld,
Mit Hacken nährt sich anfangs der,
Von dem die Fürsten kommen her.

Es ist fast alles unter dir,
Ja was die Erd nur bringt herfür,
Worvon ernähret wird das Land,
Geht dir anfänglich durch die Hand.

Der Kaiser, den uns Gott gegeben,
Uns zu beschützen, muß doch leben
Von deiner Hand; auch der Soldat,
Der dir doch zufügt manchen Schad.

Fleisch zu der Speis zeugst auf allein,
Von dir wird auch gebaut der Wein,
Dein Pflug der Erden tut so not,
Daß sie uns gibt genugsam Brod.

Die Erde wär ganz wild durchaus,
Wann du auf ihr nicht hieltest Haus,
Ganz traurig auf der Welt es stünd,
Wenn man kein Bauersmann mehr fünd.

Drum bist du billich hoch zu ehrn,
Weil du uns alle tust ernährn.
Die Natur liebt dich selber auch,
Gott segnet deinen Baurenbrauch.

Vom bitterbösen Podagram
Hört man nicht, daß an Bauren kam,
Das doch den Adel bringt in Not,
Und manchen Reichen gar in Tod.

Der Hoffart bist du sehr befreit,
Absonderlich zu dieser Zeit,
Und daß sie auch nicht sei dein Herr,
So gibt dir Gott des Kreuzes mehr.

Ja der Soldaten böser Brauch
Dient gleichwohl dir zum besten auch,
Daß Hochmut dich nicht nehme ein,
Sagt er: Dein Hab und Gut ist mein.

Bis hieher und nicht weiter kam ich mit meinem Gesang, dann ich ward gleichsam in einem Augenblick von einem Truppen Courassierer samt meiner Herd Schaf umgeben, welche im großen Wald verirret gewesen und durch meine Musik und Hirtengeschrei wieder zurecht gebracht worden waren.

Hoho, gedachte ich, dies seind die rechte Käuz! dies seind die vierbeinige Schelmen und Dieb, darvon dir dein Knan sagte, dann ich sahe anfänglich Roß und Mann (wie hiebevor die Amerikaner die spanische Kavallerei) vor ein einzige Kreatur an, und vermeinte nicht anders, als es müßten Wölfe sein, wollte derowegen diesen schröcklichen Centauris den Hundssprung weisen und sie wieder abschaffen; ich hatte aber zu solchem End meine Sackpfeife kaum aufgeblasen, da erdappte mich einer aus ihnen beim Flügel, und schleudert mich so ungestüm auf ein leer Baurenpferd, so sie neben andern mehr auch erbeutet hatten, daß ich auf der andern Seiten wieder herab auf meine liebe Sackpfeife fallen mußte, welche so erbärmlich anfieng zu schreien, als wann sie alle Welt zu Barmherzigkeit bewegen hätte wollen: aber es half nichts, wiewohl sie den letzten Atem nicht sparete, mein Ungefäll zu beklagen, ich mußte einmal wieder zu Pferd, Gott geb was meine Sackpfeife sang oder sagte; und was mich zum meisten verdroß, war dieses, daß die Reuter vorgaben, ich hätte der Sackpfeif im Fallen wehe getan, darum sie dann so ketzerlich geschrieen hätte; also gieng meine Mähr mit mir dahin, in einem stetigen Trab, wie das primum mobile, bis in meines Knans Hof. Wunderseltsame

Dauben stiegen mir damals ins Hirn, dann ich bildete mir ein, weil ich auf einem solchen Tier säße, dergleichen ich niemals gesehen hatte, so würde ich auch in einen eisernen Kerl verändert werden; weil aber solche Verwandlung nicht folgte, kamen mir andere Grillen in Kopf; ich gedachte, diese fremde Dinger wären nur zu dem Ende da, mir die Schafe helfen heimzutreiben, sintemal keiner von ihnen keines hinwegfraß, sondern alle so einhellig, und zwar des geraden Wegs, meines Knans Hof zueilten: Derowegen sahe ich mich fleißig nach meinem Knan um, ob er und mein Meuder uns nicht bald entgegengehen und uns willkomm sein heißen wollten; aber vergebens, er und meine Meuder, samt unserm Ursele, welches meines Knans einige Tochter war, hatten die Hintertür troffen, und wollten dieser Gäst nicht erwarten.

## Das IV. Kapitel

Wiewohl ich nicht bin gesinnet gewesen, den friedliebenden Leser mit diesen Reutern in meines Knans Haus und Hof zu führen, weil es schlimm genug darin hergehen wird: So erfordert jedoch die Folge meiner Histori, daß ich der lieben Posterität hinderlasse, was vor Grausamkeiten in diesem unserm Teutschen Krieg hin und wieder verübet worden, zumalen mit meinem eigenen Exempel zu bezeugen, daß alle solche Übel von der Güte des Allerhöchsten, zu unserm Nutz, oft notwendig haben verhängt werden müssen: Dann lieber Leser, wer hätte mir gesagt, daß ein Gott im Himmel wäre, wann keine Krieger meines Knans Haus zernichtet und mich durch solche Fahung unter die Leut gezwungen hätten, von denen ich genugsamen Bericht empfangen? Kurz zuvor konnte ich nichts anders wissen noch mir einbilden, als daß mein Knan, Meuder, ich und das übrige Hausgesind allein auf Erden seie, weil mir sonst kein Mensch, noch einige andere menschliche Wohnung bekannt war, als diejenige, darin ich täglich aus und ein gieng: Aber bald hernach erfuhr ich die Herkunft der Menschen in diese Welt, und daß sie wieder daraus müßten; ich war nur mit der Gestalt ein Mensch, und mit dem Namen ein Christenkind, im übrigen aber nur ein Bestia! Aber der Allerhöchste sahe meine Unschuld mit barmherzigen Augen an und wollte mich beides, zu seiner und meiner Erkantnus bringen: Und wiewohl er tausenderlei Weg hierzu hatte, wollte er sich doch ohn Zweifel nur desjenigen bedienen, in welchem mein Knan und Meuder, andern zum Exempel, wegen ihrer liederlichen Auferziehung gestraft würden.

Das erste, das diese Reuter täten, war, daß sie ihre Pferd einstelleten, hernach hatte jeglicher seine sonderbare Arbeit zu verrichten, deren jede lauter Untergang und Verderben anzeigte; dann ob zwar etliche anfingen zu metzgen, zu sieden und zu braten, daß es sahe, als sollte ein lustig Panket gehalten werden, so waren hingegen andere, die durchstürmten das Haus unden und oben, ja das heimlich Gemach war nicht sicher, gleichsam ob wäre das gülden Fell von Kolchis darinnen verborgen; andere machten von Tuch, Kleidungen und allerlei Hausrat große Päck zusammen, als ob sie irgends ein Krempelmarkt anrichten wollten, was sie aber nicht mitzunehmen gedachten, wurde zerschlagen; etliche durchstachen Heu und Stroh mit ihren Degen, als ob sie nicht Schaf und Schwein genug zu stechen gehabt hätten, etliche schütteten die Federn aus den Betten und fülleten hingegen Speck, andere dürr Fleisch und sonst Gerät hinein, als ob alsdann besser darauf zu schlafen gewest wäre; andere schlugen Ofen und Fenster ein, gleichsam als hätten sie ein ewigen Sommer zu verkündigen, Kupfer und Zinnengeschirr schlugen sie zusammen und packten die gebogene und verderbte Stuck ein, Bettladen, Tisch, Stühl und Bänk verbrannten sie, da doch viel Klafter dürr Holz im Hof lag, Häfen und Schüsseln mußte endlich alles entzwei, entweder weil sie lieber Gebraten aßen, oder weil sie bedacht waren, nur ein einzige Mahlzeit allda zu halten; unser Magd ward im Stall dermaßen traktiert, daß sie nicht mehr daraus gehen konnte, welches zwar eine Schand ist zu melden! Den Knecht legten sie gebunden auf die Erd, stecketen ihm ein Sperrholz ins Maul und schütteten ihm einen Melkkübel voll garstig Mistlachenwasser in Leib: das nenneten sie ein Schwedischen Trunk, wordurch sie ihn zwungen, eine Partei anderwärts zu führen, allda sie Menschen und Viehe hinwegnahmen und in unsern Hof brachten, unter welchen mein Knan, mein Meuder, und unser Ursele auch waren.

Da fieng man erst an, die Stein von den Pistolen, und hingegen an deren Statt der Bauren Daumen aufzuschrauben, und die arme Schelmen so zu foltern, als wann man hätt Hexen brennen wollen, maßen sie auch einen von den gefangenen Bauren bereits in Bachofen steckten und mit Feuer hinder ihm her warn, ohnangesehen er noch nichts bekennt hatte; einem andern machten sie ein Seil um den Kopf und raitelten es mit einem Bengel zusammen, daß ihm das Blut zu Mund, Nas und Ohren heraussprang. In Summa, es hatte jeder sein eigene Invention, die Bauren zu peinigen, und also auch jeder Bauer seine sonderbare Marter: Allein mein Knan war meinem damaligen Bedunken nach der glückseligste, weil er mit lachendem Mund bekennete, was andere mit Schmerzen und jämmerlicher Weheklag sagen mußten, und solche Ehre widerfuhr ihm ohne Zweifel darum, weil er der Hausvatter war, dann sie setzten ihn zu einem Feuer, banden ihn, daß er weder Händ noch Füß regen konnte, und rieben seine Fußsohlen mit angefeuchtem Salz, welches ihm unser alte Geiß wieder ablecken und dadurch also kützeln mußte, daß er vor Lachen hätte zerbersten mögen; das kam so artlich, daß ich Gesellschaft halber, oder weil ichs nicht besser verstunde, von Herzen mitlachen mußte: In solchem Gelächter bekannte er seine Schuldigkeit und öffnet den verborgenen Schatz, welcher von Gold, Perlen und Kleinodien viel reicher war, als man hinder Bauren hätte suchen mögen. Von den gefangenen Weibern, Mägden und Töchtern weiß ich sonderlich nichts zu sagen, weil mich die Krieger nicht zusehen ließen, wie sie mit ihnen umgiengen: Das weiß ich noch wohl, daß man teils hin und wieder in den Winkeln erbärmlich schreien hörte; schätze wohl, es sei meiner Meu-

14

der und unserm Ursele nit besser gangen, als den andern. Mitten in diesem Elend wendet ich Braten und half Nachmittag die Pferd tränken, durch welches Mittel ich zu unserer Magd in Stall kam, welche wunderwerklich zerstrobelt aussahe; ich kennete sie nicht, sie aber sprach zu mir mit kränklichter Stimm: »O Bub lauf weg, sonst werden dich die Reuter mitnemmen, guck daß du davonkommst, du siehest wohl, wie es so übel«: mehrers konnte sie nicht sagen.

## Das V. Kapitel

Da machte ich gleich den Anfang, meinen unglücklichen Zustand, den ich vor Augen sahe, zu betrachten und zu gedenken, wie ich mich förderlichst ausdrehen möchte: wohin aber? darzu war mein Verstand viel zu gering, einen Vorschlag zu tun; doch hat es mir so weit gelungen, daß ich gegen Abend in Wald bin entsprungen. Wo nun aber weiters hinaus? sintemal mir die Wege und der Wald so wenig bekannt waren, als die Straß durch das gefrorne Meer, hinder Nova Zembla, bis gen China hinein: die stockfinstere Nacht bedeckte mich zwar zu meiner Versicherung, jedoch bedauchte sie meinen finstern Verstand nicht finster genug; dahero verbarg ich mich in ein dickes Gesträuch, da ich sowohl das Geschrei der getrillten Bauren, als das Gesang der Nachtigallen hören konnte, welche Vögelein sie, die Bauren, von welchen man teils auch Vögel zu nennen pflegt, nicht angesehen hatten, mit ihnen Mitleiden zu tragen oder ihres Unglücks halber das liebliche Gesang einzustellen; darum legte ich mich auch ohn alle Sorge auf ein Ohr und entschlief. Als aber der Morgenstern im Osten herfürflackerte, sahe ich meines Knans Haus in voller Flamme stehen, aber niemand der zu leschen begehrte; ich begab mich herfür, in Hoffnung, jemand von meinem Knan anzutreffen, wurde aber gleich von fünf Reutern erblickt und angeschrieen: »Junge, kom heröfer, oder schall my de Tüfel halen, ick schiedte dick, dat di de Dampff zum Hals utgaht!« Ich hingegen blieb ganz stockstill stehen und hatte das Maul offen, weil ich nicht wußte, was der Reuter wollte oder meinte, und indem ich sie so ansahe, wie ein Katz ein neu Scheurtor, sie aber wegen eines Morastes nicht zu mir kommen konnten, welches sie ohn Zweifel rechtschaffen vexierte, lösete der eine seinen Karbiner auf mich, von welchem urplötzlichen Feuer und unversehnlichem Klapf, den mir Echo durch vielfältige Verdoppelung grausamer machte, ich dermaßen erschreckt ward, weil ich dergleichen niemals gehöret oder gesehen hatte, daß ich alsobald zur Erden niederfiele; ich regete vor Angst keine Ader mehr, und wiewohl die Reuter ihres Wegs fortritten, und mich ohn Zweifel vor tot liegen ließen, so hatte ich jedoch denselbigen ganzen Tag das Herz nicht, mich aufzurichten; als mich aber die Nacht wieder ergriffe, stunde ich auf, und wanderte so lang im Wald fort, bis ich von fern einen faulen Baum schimmern sahe, welcher mir ein neue Forcht einjagte, kehrete derowegen sporenstreichs wieder um, und gieng so lang, bis ich wieder einen andern dergleichen Baum erblickte, von dem ich mich gleichfalls wieder fortmachte und auf diese Weise die Nacht mit Hin- und Wiederrennen, von einem faulen Baum zum andern, vertriebe; zuletzt kam mir der liebe Tag zu Hülf, welcher den Bäumen gebotte, mich in seiner Gegenwart ohnbetrübt zu lassen, aber hiermit war mir noch nichts geholfen, dann mein Herz steckte voll Angst und Forcht, die Schenkel voll Müdigkeit, der leere Magen voll Hunger, das Maul voll Durst, das Hirn voll närrischer Einbildung, und die Augen voller Schlaf: Ich gieng dannoch fürter, wußte aber nicht wohin, je weiter ich aber gieng, je tiefer ich von den Leuten hinweg in Wald kam: Damals stunde ich aus und empfande (jedoch ganz unvermerkt) die Würkung des Unverstands und der Unwissenheit; wann ein unvernünftig Tier an meiner Stell gewesen wäre, so hätte es besser gewußt, was es zu seiner Erhaltung hätte tun sollen, als ich; doch war ich noch so witzig, als mich abermal die Nacht ereilte, daß ich in einen hohlen Baum kroche, mein Nachtläger darinnen zu halten.

Kaum hatte ich mich zum Schlaf akkommodieret, da hörete ich folgende Stimm: »O große Liebe, gegen uns undankbarn Menschen! Ach mein einiger Trost! mein Hoffnung, mein Reichtum, mein Gott!« und so dergleichen mehr, das ich nicht alles merken noch verstehen können.

Dieses waren wohl Wort, die einen Christenmenschen, der sich in einem solchen Stand, wie ich mich dazumal befunden, billich aufmuntern, trösten und erfreuen hätten sollen: Aber, o Einfalt und Unwissenheit! es waren mir nur Böhmische Dörfer, und alles ein ganz unverständliche Sprach, aus deren ich nicht allein nichts fassen konnte, sondern auch ein solche, vor deren Seltsamkeit ich mich entsetzte; da ich aber hörete, daß dessen, der sie redete, Hunger und Durst gestillt werden sollte, riete mir mein ohnerträglicher Hunger, mich auch zu Gast zu laden, derowegen faßte ich das Herz, wieder aus meinem hohlen Baum zu gehen und mich der gehörten Stimm zu nähern; da wurde ich eines großen Manns gewahr, in langen schwarzgrauen Haaren, die ihm ganz verworren auf den Achseln herumlagen, er hatte einen wilden Bart, fast formiert wie ein Schweizerkäs, sein Angesicht war zwar bleichgelb und mager, aber doch ziemlich lieblich, und sein langer Rock mit mehr als 1000 Stückern von allerhand Tuch überflickt und aufeinander gesetzt, um Hals und Leib hatte er ein schwere eiserne Ketten gewunden wie S. Wilhelmus, und sahe sonst in meinen Augen so scheußlich und förchterlich aus, daß ich anfinge zu zittern, wie ein nasser Hund; was aber meine Angst mehret, war, daß er ein Kruzifix, ungefähr 6 Schuh lang, an seine Brust druckte, und weil ich ihn nicht kennete, konnte ich nichts anders ersinnen, als dieser alte Greis müßte ohn Zweifel der Wolf sein, davon mir mein Knan kurz zuvor gesagt hatte: In solcher Angst wischte ich mit meiner Sackpfeif herfür, welche ich als meinen einigen Schatz noch vor den Reutern salviert hatte; ich blies zu, stimmte an, und ließe mich gewaltig hören, diesen greulichen Wolf zu vertreiben, über welcher gählingen und ohngewöhnlichen Musik, an einem so wilden Ort, der Einsiedel anfänglich nicht wenig stutzte, ohn Zweifel vermeinende, es seie etwan ein teuflisch Gespenst hinkommen, ihne, wie etwan dem großen Antonio widerfahren, zu tribulieren, und seine Andacht zu zerstören: Sobald er sich aber wieder erholete, spottet er meiner, als seines Versuchers im hohlen Baum, wo hinein ich mich wieder retiriert hatte, ja er war so getrost, daß er gegen mir gieng, den Feind des menschlichen Geschlechts genugsam auszuhöhnen. »Ha«, sagte er, »du bist ein Gesell darzu, die Heiligen ohne göttliche Verhängnus«, etc. Mehrers habe ich nicht verstanden, dann seine Näherung ein solch Grausen und Schrecken in mir erregte, daß ich des Amts meiner Sinne beraubt wurde, und dorthin in Ohnmacht niedersank.

## Das VII. Kapitel

Wasgestalten mir wieder zu mir selbst geholfen worden, weiß ich nicht, aber dieses wohl, daß der Alte meinen Kopf in seinem Schoß, und vornen meine Juppen geöffnet gehabt, als ich mich wieder erholete; da ich den Einsiedler so nahe bei mir sahe, fieng ich ein solch grausam Geschrei an, als ob er mir im selben Augenblick das Herz aus dem Leib hätte reißen wollen. Er aber sagte: »Mein Sohn, schweig, ich tue dir nichts, sei zufrieden«, etc. Je mehr er mich aber tröstete und mir liebkoste: Je mehr ich schriee: »O du frißt mich! O du frißt mich! du bist der Wolf und willst mich fressen.« »Ei ja wohl nein, mein Sohn«, sagte er, »sei zufrieden, ich friß dich nicht«. Dies Gefecht währete lang, bis ich mich endlich so weit ließe weisen, mit ihm in seine Hütten zu gehen; darin war die Armut selbst Hofmeisterin, der Hunger Koch, und der Mangel Küchenmeister; da wurde mein Magen mit einem Gemüs und Trunk Wassers gelabt, und mein Gemüt, so ganz verwirret war, durch des Alten tröstliche Freundlichkeit wieder aufgericht und zurechtgebracht: Derowegen ließ ich mich durch die Anreizung des süßen Schlafes leicht betören, der Natur solche Schuldigkeit abzulegen. Der Einsiedel merkte meine Notdurft, darum ließe er mir den Platz allein in seiner Hütten, weil nur einer darin liegen konnte; ohngefähr um Mitternacht erwachte ich wieder und hörete ihn folgendes Lied singen, welches ich hernach auch gelernet:

> Komm Trost der Nacht, o Nachtigall,
> Laß deine Stimm mit Freudenschall
> Aufs lieblichste erklingen :|:
> Komm, komm, und lob den Schöpfer dein,
> Weil andre Vöglein schlafen sein,
> Und nicht mehr mögen singen:
> Laß dein
> Stimmlein
> Laut erschallen,
> Dann vor allen
> Kannst du loben
> Gott im Himmel hoch dort oben.

> Ob schon ist hin der Sonnenschein,
> Und wir im Finstern müssen sein,
> So können wir doch singen :|:
> Von Gottes Güt und seiner Macht,
> Weil uns kann hindern keine Nacht,
> Sein Lob zu vollenbringen.
> Drum dein
> Stimmlein
> Laß erschallen,
> Dann vor allen
> Kannst du loben
> Gott im Himmel hoch dort oben.

> Echo, der wilde Widerhall,
> Will sein bei diesem Freudenschall,
> Und lässet sich auch hören :|:
> Verweist uns alle Müdigkeit,
> Der wir ergeben allezeit,

Lehrt uns den Schlaf betören.
Drum dein
Stimmlein
Laß erschallen,
Dann vor allen
Kannst du loben
Gott im Himmel hoch dort oben.

Die Sterne, so am Himmel stehn,
Lassen sich zum Lob Gottes sehn,
Und tun ihm Ehr beweisen :|:
Auch die Eul die nicht singen kan,
Zeigt doch mit ihrem Heulen an,
Daß sie Gott auch tu preisen.
Drum dein
Stimmlein
Laß erschallen,
Dann vor allen
Kannst du loben
Gott im Himmel hoch dort oben.

Nur her, mein liebstes Vögelein,
Wir wollen nicht die fäulste sein,
Und schlafend liegen bleiben :|:
Sondern bis daß die Morgenröt
Erfreuet diese Wälder öd,
Im Lob Gottes vertreiben.
Laß dein
Stimmlein
Laut erschallen,
Dann vor allen
Kannst du loben
Gott im Himmel hoch dort oben.

Unter währendem diesem Gesang bedunkte mich wahrhaftig, als wann die Nachtigall sowohl als die Eul und Echo mit eingestimmt hätten, und wann ich den Morgenstern jemals gehört, oder dessen Melodei auf meiner Sackpfeifen aufzumachen vermöcht, so wäre ich aus der Hütten gewischt, meine Karten mit einzuwerfen, weil mich diese Harmonia so lieblich zu sein bedunkte; aber ich entschlief, und erwachte nicht wieder, bis wohl in den Tag hinein, da der Einsiedel vor mir stunde, und sagte: »Uff Kleiner, ich will dir Essen geben, und alsdann den Weg durch den Wald weisen, damit du wieder zu den Leuten, und noch vor Nacht in das nächste Dorf kommest«; ich fragte ihn: »Was sind das für Dinger, Leuten und Dorf?« Er sagte: »Bist du dann niemalen in keinem Dorf gewest, und weißt auch nicht, was Leut oder Menschen seind?« »Nein«, sagte ich, »nirgends als hier bin ich gewest, aber sag mir doch, was seind Leut, Menschen und Dorf?« »Behüt Gott«, antwortet der Einsiedel, »bist du närrisch oder gescheid?« »Nein«, sagte ich, »meiner Meuder und meines Knans Bub bin ich, und nicht der Närrisch oder der Gescheid.« Der Einsiedel verwundert sich mit Seufzen und Bekreuzigung, und sagte: »Wohl liebes Kind, ich bin gehalten, dich um Gottes willen besser zu unterrichten.« Darauf fielen unsere Reden und Gegenreden, wie folgend Kapitel ausweiset.

## Das VIII. Kapitel

*Einsiedel:* Wie heißest du?

*Simpl.:* Ich heiße Bub.

*Einsied.:* Ich sehe wohl, daß du kein Mägdlein bist, wie hat dir aber dein Vatter und Mutter gerufen?

*Simpl.:* Ich habe keinen Vatter oder Mutter gehabt.

*Einsied.:* Wer hat dir dann das Hemd geben?

*Simpl.:* Ei mein Meuder.

*Eins.:* Wie heißet dich dann dein Meuder?

*Simpl.:* Sie hat mich Bub geheißen, auch Schelm, ungeschickter Dölpel, und Galgenvogel.

*Eins.:* Wer ist dann deiner Mutter Mann gewest?

*Simpl.:* Niemand.

*Einsied.:* Bei wem hat dann dein Meuder des Nachts geschlafen?

*Simpl.:* Bei meinem Knan.

*Einsied.:* Wie hat dich dann dein Knan geheißen?

*Simpl.:* Er hat mich auch Bub genennet.

*Einsied.:* Wie hieße aber dein Knan?

*Simpl.:* Er heißt Knan.

*Einsied.:* Wie hat ihm aber dein Meuder gerufen?

*Simpl.:* Knan, und auch Meister.

*Einsied.:* Hat sie ihn niemals anders genennet?

*Simpl.:* Ja, sie hat.

*Einsied.:* Wie dann?

*Simpl.:* Rülp, grober Bengel, volle Sau, und noch wohl anders, wann sie haderte.

*Einsied.:* Du bist wohl ein unwissender Tropf, daß du weder deiner Eltern noch deinen eignen Namen nicht weißt!

*Simpl.:* Eia, weißt dus doch auch nicht.

*Einsied.:* Kannst du auch beten?

*Simpl.:* Nein, unser Ann und mein Meuder haben als das Bett gemacht.

*Einsied.:* Ich frage nicht hiernach, sondern ob du das Vatterunser kannst?

*Simpl.:* Ja ich.

*Einsied.:* Nun so sprichs dann.

*Simpl.:* Unser lieber Vatter, der du bist Himmel, heiliget werde Nam, zrkommes d' Reich, dein Will schee Himmel ad Erden, gib uns Schuld, als wir unsern Schuldigern geba, führ uns nicht in kein bös Versucha, sondern erlös uns von dem Reich, und die Krafft, und die Herrlichkeit, in Ewigkeit, Ama.

*Einsied.:* Bist du nie in die *Kirchen* gangen?

*Simpl.:* Ja ich kann wacker steigen und hab als ein ganzen Busem voll *Kirschen* gebrochen.

*Einsied.:* Ich sage nicht von *Kirschen*, sondern von *der Kirchen*.

*Simpl.:* Haha, *Kriechen*, gelt es seind so kleine Pfläumlein? gelt du?

22

*Einsied.:* Ach daß Gott walte, weißt du nichts von unserm Herrgott?

*Simpl.:* Ja, er ist daheim an unserer Stubentür gestanden auf dem Helgen, mein Meuder hat ihn von der Kürbe mitgebracht, und hingekleibt.

*Einsied.:* Ach gütiger Gott, nun erkenne ich erst, was vor eine große Gnad und Wohltat es ist, wem du deine Erkantnus mitteilest, und wie gar nichts ein Mensch seie, dem du solche nicht gibst: Ach Herr verleihe mir deinen heiligen Namen also zu ehren, daß ich würdig werde, um diese hohe Gnad so eiferig zu danken, als freigebig du gewest, mir solche zu verleihen: Höre du, Simplici (dann anderst kann ich dich nicht nennen), wann du das Vatterunser betest, so mußt du also sprechen: Vatter unser, der du bist im Himmel, geheiliget werde dein Nam, zukomme uns dein Reich, dein Will geschehe auf Erden wie im Himmel, unser täglich Brod gib uns heut, und –

*Simpl.:* Gelt du, auch Käs darzu?

*Einsied.:* Ach liebes Kind, schweige und lerne, solches ist dir viel nötiger als Käs; du bist wohl ungeschickt, wie dein Meuder gesagt hat, solchen Buben wie du bist, stehet nicht an, einem alten Mann in die Red zu fallen, sondern zu schweigen, zuzuhören und zu lernen. Wüßte ich nur, wo deine Eltern wohneten, so wollte ich dich gerne wieder hinbringen, und sie zugleich lehren, wie sie Kinder erziehen sollten.

*Simpl.:* Ich weiß nicht, wo ich hin soll, unser Haus ist verbrennet, und mein Meuder hinweggeloffen, und wieder kommen mit dem Ursele, und mein Knan auch, und unser Magd ist krank gewest, und ist im Stall gelegen.

*Einsied.:* Wer hat dann das Haus verbrennt?

*Simpl.:* Ha, es sind so eiserne Männer kommen, die seind so auf Dingern gesessen, groß wie Ochsen, haben aber keine Hörner; dieselbe Männer haben Schafe und Kühe und Säu gestochen, und da bin ich auch weggeloffen, und da ist darnach das Haus verbrennt gewest.

*Einsied.:* Wo war dann dein Knan?

*Simpl.:* Ha, die eiserne Männer haben ihn angebunden, da hat ihm unser alte Geiß die Füß geleckt, da hat mein Knan lachen müssen, und hat denselben eisernen Mannen viel Weißpfenning geben, große und kleine, auch hübsche gelbe, und sonst schöne klitzerechte Dinger, und hübsche Schnür voll weiße Kügelein.

*Einsied.:* Wann ist dies geschehen?

*Simpl.:* Ei wie ich der Schaf hab hüten sollen, sie haben mir auch mein Sackpfeif wollen nemmen.

*Einsied.:* Wann hast du der Schaf sollen hüten?

*Simpl.:* Ei hörst dus nicht, da die eiserne Männer kommen sind, und darnach hat unser Ann gesagt, ich soll auch weglaufen, sonst würden mich die Krieger mitnehmen, sie hat aber die eiserne Männer gemeinet, und da sein ich weggeloffen, und sein hieherkommen.

*Einsied.:* Wo hinaus willst du aber jetzt?

*Simpl.:* Ich weiß weger nit, ich will bei dir hier bleiben.

*Einsied.:* Dich hier zu behalten, ist weder mein noch dein Gelegenheit, esse, alsdann will ich dich wieder zu Leuten führen.

*Simpl.:* Ei so sag mir dann auch, was Leut vor Dinger sein?

*Einsied.:* Leut seind Menschen wie ich und du, dein Knan, dein Meuder und euer Ann seind Menschen, und wann deren viel beieinander seind, so werden sie Leut genennt.

*Simpl.:* Haha!

*Einsied.:* Nun gehe und esse.

Dies war unser Diskurs, unter welchem mich der Einsiedel oft mit den allertiefsten Seufzen anschauete, nicht weiß ich, ob es darum geschahe, weil er ein so groß Mitleiden mit meiner Einfalt und Unwissenheit hatte, oder aus der Ursach, die ich erst über etliche Jahr hernach erfuhr.

## Aus dem IX. Kapitel

Nach etwa drei Wochen beschließt der Einsiedel, den Knaben bei sich zu behalten.

Ich hielte mich so wohl, daß der Einsiedel ein sonderliches Gefallen an mir hatte, nicht zwar der Arbeit halber, so ich zuvor zu vollbringen gewohnet war, sondern weil er sahe, daß ich ebenso begierig seine Unterweisungen hörete, als geschickt die wachsweiche, und zwar noch glatte Tafel meines Herzens solche zu fassen sich erzeigte. Solcher Ursachen halber wurde er auch desto eiferiger, mich in allem Guten anzuführen; er machte den Anfang seiner Unterrichtungen vom Fall Luzifers, von dannen kam er in das Paradeis, und als wir mit unsern Eltern daraus verstoßen wurden, passierte er durch das Gesetz Mosis und lernete mich vermittelst der zehen Gebot Gottes und ihrer Auslegungen (von denen er sagte, daß sie eine wahre Richtschnur seien, den Willen Gottes zu erkennen und nach denselben ein heiliges, Gott wohlgefälliges Leben anzustellen), die Tugenden von den Lastern zu unterscheiden, das Gute zu tun, und das Böse zu lassen: Endlich kam er auf das Evangelium und sagte mir von Christi Geburt, Leiden, Sterben und Auferstehung; zuletzt beschlosse ers mit dem Jüngsten Tag, und stellet mir Himmel und Höll vor Augen, und solches alles mit gebührenden Umständen, doch nit mit gar zu überflüssiger Weitläuftigkeit, sondern wie ihn dünkte, daß ichs am allerbesten fassen und verstehen möchte; wann er mit einer materia fertig war, hub er ein andere an, und wußte sich bisweilen in aller Gedult nach meinen Fragen so artlich zu regulieren, und mit mir zu verfahren, daß er mirs auch nicht besser hätte eingießen können; sein Leben und seine Reden waren mir eine immerwährende Predigt, welche mein Verstand, der eben nicht so gar dumm und hölzern war, vermittels göttlicher Gnad nicht ohne Frucht abgehen ließe, allermaßen ich alles dasjenige, was ein Christ wissen soll, nicht allein in gedachten dreien Wochen gefaßt, sondern auch ein solche

Lieb zu dessen Unterricht gewonnen, daß ich des Nachts nicht darvor schlafen konnte.

Ich habe seithero der Sach vielmal nachgedacht, und befunden, daß Aristot. lib. 3 de Anima wohl geschlossen, als er die Seele eines Menschen einer leeren ohnbeschriebenen Tafel verglichen, darauf man allerhand notieren könne, und daß solches alles darum von dem höchsten Schöpfer geschehen seie, damit solche glatte Tafel durch fleißige Impression und Übung gezeichnet, und zur Vollkommenheit und Perfektion gebracht werde. [...]

Solches alles erwiese ich mit meinem eigenen Exempel, denn daß ich alles so bald gefaßt, was mir der fromme Einsiedel vorgehalten, ist daher kommen, weil er die geschlichte Tafel meiner Seelen ganz leer, und ohn einige zuvor hineingedruckte Bildnussen gefunden, so etwas anders hineinzubringen hätt hindern mögen; gleichwohl aber ist die pure Einfalt, gegen andern Menschen zu rechnen, noch immerzu bei mir verblieben, dahero der Einsiedel (weil weder er noch ich meinen rechten Namen gewußt) mich nur Simplicium genennet.

Mithin lernete ich auch beten, und als er meinem steifen Vorsatz, bei ihm zu bleiben, ein Genügen zu tun entschlossen, baueten wir vor mich eine Hütten gleich der seinigen, von Holz, Reisern und Erden [...]

## Das X. und XI. Kapitel

Simplicius lernt nun lesen und schreiben und beteiligt sich an der harten Tagesarbeit des Einsiedels: Beeren, Früchte und Pilze sammeln, fischen, den Garten bestellen und Brennholz für den Winter einbringen. Zur Messe gehen beide sonntags in ein nicht sehr weit entferntes Dorf; mit dem dort lebenden Pfarrer ist der Einsiedel gut bekannt.

Zwei Jahr ungefähr hatte ich zugebracht, und das harte eremitisch Leben kaum gewohnet, als mein bester Freund auf Erden seine Haue nahm, mir aber die Schaufel gab, und mich seiner täglichen Gewohnheit nach an der Hand in unsern Garten führte, da wir unser Gebet zu verrichten pflegten. »Nun Simplici, liebes Kind«, sagte er, »dieweil Gott Lob die Zeit vorhanden, daß ich aus dieser Welt scheiden, die Schuld der Natur bezahlen, und dich in dieser Welt hinder mir verlassen solle, zumalen deines Lebens künftige Begegnussen beiläufig sehe, und wohl weiß, daß du in dieser Einöde nicht lang verharren wirst, so hab ich dich auf dem angetrettenen Weg der Tugend stärken, und dir einige Lehren zum Unterricht geben wollen, vermittelst deren du, als nach einer ohnfehlbaren Richtschnur, zur ewigen Seligkeit zu gelangen, dein Leben anstellen sollest, damit du mit allen heiligen Auserwählten das Angesicht Gottes in jenem Leben ewiglich anzuschauen gewürdiget werdest.« •

Diese Wort setzten meine Augen ins Wasser, wie hiebevor des Feinds Erfindung die Stadt Villingen, einmal, sie waren mir so unerträglich, daß ich sie nicht ertragen könnte, doch sagte ich: »Herzliebster Vatter, willst du mich dann allein in diesem wilden Wald verlassen? soll dann«: mehrers vermochte ich nicht herauszubringen, dann meines Herzens Qual ward aus überflüssiger Lieb, die ich zu meinem getreuen Vatter trug, also heftig, daß ich gleichsam wie tot zu seinen Füßen niedersank; er hingegen richtet mich wieder auf, tröstet mich so gut es Zeit und Gelegenheit zuließe, und verwiese mir gleichsam fragend meinen Fehler, ob ich nämlich der Ordnung des Allerhöchsten widerstreben wollte? »Weißt du nicht«, sagt er weiters, »daß solches weder Himmel noch Höll zu tun vermögen? Nicht also, mein Sohn! was unterstehest du dich, meinem schwachen Leib (welcher vor sich selbst der Ruhe begierig ist) aufzubürden? Vermeinest du mich zu nötigen, länger in diesem Jammertal zu leben? Ach nein, mein Sohn, lasse mich fahren, sintemal du mich ohne das weder mit Heulen noch Weinen, und noch viel weniger mit meinem Willen, länger in diesem Elend zu verharren wirst zwingen können, indem ich durch Gottes austrücklichen Willen daraus gefordert werde; folge anstatt deines unnützen Geschreis meinen letzten Worten, welche seind, daß du dich je länger je mehr selbst erkennen solltest, und wann du gleich so alt als Mathusalem würdest, so laß solche Übung nicht aus dem Herzen, dann daß die meiste Menschen verdammt werden, ist die Ursach, daß sie nicht gewußt haben, was sie gewesen, und was sie werden können oder werden müssen.« Weiters riete er mir getreulich, ich sollte mich jederzeit vor böser Gesellschaft hüten, dann derselben Schädlichkeit wäre unaussprechlich: Er gab mir dessen ein Exempel und sagte: »Wann du einen Tropfen Malvasier in ein Geschirr voll Essig schüttest, so wird er alsobald zu Essig; wirst du aber so viel Essig in Malvasier gießen, so wird er auch unter dem Malvasier hingehen. Liebster Sohn«, sagte er, »vor allen Dingen bleibe standhaftig, dann wer verharret bis ans End, der wird selig, geschiehet aber wider mein Verhoffen, daß du aus menschlicher Schwachheit fällst, so stehe durch ein rechtschaffene Buß geschwind wieder auf.«

Dieser sorgfältige fromme Mann hielte mir allein dies wenige vor, nicht zwar, als hätte er nichts mehrers gewußt, sondern darum, dieweil ich ihn erstlich meiner Jugend wegen nicht fähig genug zu sein bedunkte, ein mehrers in solchem Zustand zu fassen, und dann weil wenig Wort besser, als ein langes Geplauder, im Gedächtnus zu behalten seind, und wann sie anders Saft und Nachtruck haben, durch das Nachdenken größern Nutzen schaffen, als eine lange Sermon, die man austrücklich verstanden hat, und bald wieder zu vergessen pflegt.

Diese drei Stück, sich selbst erkennen, böse Gesellschaft meiden, und beständig verbleiben, hat dieser fromme Mann ohne Zweifel deswegen vor gut und nötig geachtet, weil er solches selbsten praktiziert, und daß es ihme darbei nicht mißlungen ist; denn nachdem er sich selbst erkannt, hat er nicht allein böse Gesellschaften, sondern auch die ganze Welt geflohen, ist auch in solchem Vorsatz bis an das Ende verharret, an welchem ohn Zweifel die Seligkeit hängt, welchergestalt aber, folgt hernach.

Nachdem er mir nun obige Stück vorgehalten, hat er mit seiner Reithaue angefangen sein eigenes Grab zu machen, ich half so gut ich konnte, wie er mir befahl, und bildete mir doch dasjenige nicht ein, worauf es angesehen war, indessen sagte er: »Mein lieber und wahrer einiger Sohn (dann ich habe sonsten keine Kreatur als dich, zu Ehren unsers Schöpfers erzeuget) wann meine Seele an ihren Ort gangen ist, so leiste meinem Leib deine Schuldigkeit und die letzte Ehre, scharre mich mit derjenigen Erden wieder zu, die wir anjetzo aus dieser Gruben gegraben haben.« Darauf nahm er mich in seine Arm und druckte mich küssend viel härter an seine Brust, als einem Mann, wie er zu sein schiene, hätte müglich sein können. »Liebes Kind«, sagte er, »ich befehle dich in Gottes Schutz, und sterbe um soviel desto fröhlicher, weil ich hoffe, er werde dich darin aufnemmen«; ich hingegen konnte nichts anders, als klagen und heulen, ich hängete mich an seine Ketten, die er am Hals trug, und vermeinte ihn damit zu halten, damit er mir nicht entgehen sollte. Er aber sagte: »Mein Sohn lasse mich, daß ich sehe, ob mir das Grab lang genug seie«, legte demnach die Ketten ab, samt dem Oberrock, und begab sich in das Grab, gleichsam wie einer, der sich sonst schlafen legen will, sprechende: »Ach großer Gott, nun nimm wieder hin die Seele, die du mir gegeben, Herr, in deine Hände befehl ich meinen Geist«, etc. Hierauf beschloß er seine Lippen und Augen sänftiglich, ich aber stund da wie ein Stockfisch, und meinte nicht, daß seine liebe Seel den Leib gar verlassen haben sollte, dieweil ich ihn öfters in dergleichen Verzuckungen gesehen hatte.

Ich verharrete, wie mein Gewohnheit in dergleichen Begebenheiten war, etliche Stund neben dem Grab im Gebet, als sich aber mein allerliebster Einsiedel nicht mehr aufrichten wollte, stiege ich zu ihm ins Grab hinunder, und fieng ihn an zu schütteln, zu küssen und zu liebeln, aber da war kein Leben mehr, weil der grimmige ohnerbittliche Tod den armen Simplicium seiner holden Beiwohnung beraubt hatte; ich begosse, oder besser zu sagen, ich balsamierte den entseelten Körper mit meinen Zähren, und nachdem ich lang mit jämmerlichem Geschrei hin und her geloffen, fienge ich an, ihn mit mehr Seufzen als Schaufeln voller Grund zuzuscharren, und wann ich kaum sein Angesicht bedeckt hatte, stiege ich wieder hinunder, entblößte es wieder, damit ichs noch einmal sehen und küssen möchte; solches trieb ich den ganzen Tag, bis ich fertig worden, und auf diese Weis die funeralia, exequias und luctus gladiatorios allein geendet, weil ohne das weder Bahr, Sarch, Decken, Liechter, Totenträger noch Geleitsleut, und auch kein Klerisei vorhanden gewest, die den Toten besungen hätte.

## Das XIII. und XIV. Kapitel

Nun beschließt Simplicius, entgegen dem Rat des Pfarrers, zunächst im Walde zu bleiben. Bald aber beginnt ihn die Abenteuerlust zu plagen. Mit seinen inneren Zweifeln möchte er sich dem Pfarrer anvertrauen, und daher macht er sich zu ihm auf den Weg. Als er sich dem Dorf nähert, wird er Zeuge eines Überfalls durch schwedische Soldaten. Er trifft schließlich auf den von den Landsknechten mißhandelten Pfarrer, kann jedoch von diesem weder Rat noch Hilfe erlangen. In den Wald zurückgekehrt, nimmt er sich erneut vor, Einsiedler zu bleiben. Zwei Tage später führt er in seiner Gutmütigkeit umherstreunende Soldaten aus dem Wald heraus.

## Das XV. Kapitel

Als ich wieder heimkame, befand ich, daß mein Feurzeug und ganzer Hausrat, samt allem Vorrat an meinen armseligen Essensspeisen, die ich den Sommer hindurch in meinem Garten erzogen und auf künftigen Winter vorm Maul erspart hatte, miteinander fort war: Wo nun hinaus? gedachte ich, damals lernete mich die Not erst recht beten; ich gebotte aller meiner wenigen Witz zusammen, zu beratschlagen, was mir zu tun oder zu lassen sein möchte? Gleichwie aber meine Erfahrenheit schlecht und gering war, also konnte ich auch nichts Rechtschaffenes schließen; das beste war, daß ich mich Gott befahl und mein Vertrauen allein auf ihn zu setzen wußte, sonst hätte ich ohn Zweifel desperieren und zugrund gehen müssen: Über das lagen mir die Sachen, so ich denselben Tag gehöret und gesehen, ohn Unterlaß im Sinn, ich dachte nicht soviel um Essenspeis und meiner Erhaltung nach, als derjenigen Antipathia, die sich zwischen Soldaten und Bauren enthält; doch konnte meine Alberkeit nichts ersinnen, als daß ich schlosse, es müßten ohnfehlbar zweierlei Menschen in der Welt sein, so nicht einerlei Geschlechts von Adam her, sondern wilde und zahme wären, wie andere unvernünftige Tier, weil sie einander so grausam verfolgen.

In solchen Gedanken entschlief ich vor Unmut und Kälte, mit einem hungerigen Magen; da dünkte mich, gleichwie in einem Traum, als wenn sich alle Bäum, die um meine Wohnung stunden, gähling veränderten, und ein ganz ander Ansehen gewönnen; auf jedem Gipfel saße ein Cavallier, und alle Äst wurden anstatt der Blätter mit allerhand Kerlen geziert; von solchen hatten etliche lange Spieß, andere Musketen, kurze Gewehr, Partisanen, Fähnlein, auch Trommeln und Pfeifen. Dies war lustig anzusehen, weil alles so ordentlich und fein gradweis sich auseinander teilete; die Wurzel aber war von ungültigen Leuten, als Handwerkern, Taglöhnern, mehrenteils Bauren und dergleichen, welche nichtsdestoweniger dem Baum seine Kraft verliehen und wieder von neuem mitteilten, wann er solche zuzeiten verlor; ja sie ersetzten den Mangel der abgefallenen Blätter aus den ihrigen, zu ihrem eigenen noch größeren Verderben; benebens seufzeten sie über diejenige, so auf dem Baum saßen, und zwar nicht unbillich, dann der ganze Last des Baums lag auf ihnen, und druckte sie dermaßen, daß ihnen alles Geld aus den Beuteln, ja hinder sieben Schlossen herfürgieng; wann es aber nicht herfür wollte, so striegelten sie die Commissarios mit Besemen, die man militarische Exekution nennete, daß ihnen die Seufzer aus dem Herzen, die Tränen aus den Augen, das Blut aus den Nägeln, und das Mark aus den Beinen herausgienge; noch dannoch waren Leut unter ihnen, die man Fatzvögel nennete; diese bekümmerten sich wenig, nahmen alles auf die leichte Achsel, und hatten in ihrem Kreuz anstatt des Trosts allerhand Gespei.

## Das XVI. Kapitel

Also mußten sich die Wurzeln dieser Bäume in lauter Mühseligkeit und Lamentieren, diejenige aber auf den untersten Ästen in viel größerer Müh, Arbeit und Ungemach gedulden und durchbringen; doch waren diese jeweils lustiger als jene, darneben aber auch trotzig, tyrannisch, mehrenteils gottlos, und der Wurzel jederzeit ein schwerer unerträglicher Last; um sie stunde dieser Reim:

> Hunger und Durst, auch Hitz und Kält,
> Arbeit und Armut, wie es fällt,
> Gewalttat, Ungerechtigkeit
> Treiben wir Landsknecht allezeit.

Diese Reimen waren um so viel desto weniger erlogen, weil sie mit ihren Werken übereinstimmten; denn fressen und saufen, Hunger und Durst leiden, huren und buben, raßlen und spielen, schlemmen und demmen, morden und wieder ermordet werden, totschlagen und wieder zu Tod geschlagen werden, tribuliern und wieder getrillt werden, jagen und wieder gejaget werden, ängstigen und wieder geängstigt werden, rauben und wieder beraubt werden, plündern und wieder geplündert werden, sich förchten und wieder geförchtet werden, Jammer anstellen und wieder jämmerlich leiden, schlagen und wieder geschlagen werden; und in Summa nur verderben und beschädigen, und hingegen wieder verderbt und beschädigt werden, war ihr ganzes Tun und Wesen;

32

woran sie sich weder Winter noch Sommer, weder Schnee noch Eis, weder Hitz noch Kält, weder Regen noch Wind, weder Berg noch Tal, weder Felder noch Morast, weder Gräben, Päß, Meer, Mauren, Wasser, Feuer noch Wälle, weder Vatter noch Mutter, Brüder und Schwestern, weder Gefahr ihrer eigenen Leiber, Seelen und Gewissen, ja weder Verlust des Lebens noch des Himmels oder sonst einig anderer Ding, wie das Namen haben mag, verhindern ließen: Sondern sie weberten in ihren Werken immer emsig fort, bis sie endlich nach und nach in Schlachten, Belägerungen, Stürmen, Feldzügen, und in den Quartieren selbsten (so doch der Soldaten irdische Paradeis sind, sonderlich wenn sie fette Bauren antreffen) umkamen, starben, verdarben, und krepierten; bis auf etlich wenige, die in ihrem Alter, wann sie nicht wacker geschunden und gestohlen hatten, die allerbeste Bettler und Landstürzer abgaben: Zu nächst über diesen mühseligen Leuten saßen so alte Hühnerfänger, die sich etlich Jahr mit höchster Gefahr auf den untersten Ästen beholfen, durchgebissen, und das Glück gehabt hatten, dem Tod bis dahin zu entlaufen; diese sahen ernstlich und etwas reputierlicher aus, als die unterste, weil sie um einen gradum hinaufgestiegen waren; aber über ihnen befanden sich noch höhere, welche auch höhere Einbildungen hatten, weil sie die unterste zu kommandieren; diese nennte man Wammesklopfer, weil sie den Pikenierern mit ihren Prügeln und Hellenpotzmarter den Rucken sowohl als den Kopf abzufegen, und den Musketierern Baumöl zu geben pflegten, ihr Gewehr damit zu schmieren. Über diesen hatte des Baumes Stamm einen Absatz oder Unterscheid, welches ein glattes Stück war, ohne Äst, mit wunderbarlichen Materialien und seltsamer Seifen des Mißgunsts geschmieret, also daß kein Kerl, er sei dann vom Adel, weder durch Mannheit, Geschicklichkeit noch Wissenschaft hinaufsteigen konnte, Gott geb wie er auch klettern könnte; dann es war glätter poliert als ein marmorsteinerne Säul oder stählerner Spiegel; über demselben Ort saßen die mit den Fähnlein, deren waren teils jung und teils bei ziemlichen Jahren; die Junge hatten ihre Vettern hinaufgehoben, die Alte aber waren zum Teil von sich selbst hinaufgestiegen, entweder auf einer silbernen Leiter, die man Schmiralia nennet, oder sonst auf einem Steg, den ihnen das Glück aus Mangel anderer gelegt hatte. Besser oben saßen noch höhere, die auch ihre Mühe, Sorg und Anfechtung hatten, sie genossen aber diesen Vorteil, daß sie ihre Beutel mit demjenigen Speck am besten spicken können, welchen sie mit einem Messer, das sie Kontribution nenneten, aus der Wurzel schnitten; am tunlichsten und geschicktesten fiele es ihnen, wann ein Commissarius daherkam und ein Wanne voll Geld über den Baum abschüttete, solchen zu erquicken, daß sie das Beste von oben herab auffiengen und den untersten soviel als nichts zukommen ließen; dahero pflegten von den untersten mehr Hungers zu sterben, als ihrer vom Feind umkamen, welcher Gefahr miteinander die höchste entübriget zu sein schienen. Dahero war ein unaufhörliches Gegrabbel und Aufkletterns an diesen Baum, weil jeder gerne an den obristen glückseligen Orten sitzen wollte; doch waren etliche faule liederliche Schlingel, die das Kommißbrot zu fressen nicht wert waren, welche sich wenig um ein Oberstell bemüheten, und ein Weg als den andern tun mußten, was ihr Schuldigkeit erfodert; die Unterste, was ehrgeizig war, hoffeten auf der Obern Fall, damit sie an ihren Ort sitzen möchten, und wann es unter zehentausenden einem geriete, daß er so weit gelangte, so geschahe solches erst in ihrem verdrüßlichen Alter, da sie besser hindern Ofen taugten Äpfel zu braten, als im Feld vorm Feind zu liegen; und wann schon einer wohl stunde, und seine Sach rechtschaffen verrichtete, so wurde er von andern geneidet, oder sonst durch einen ohnversehenlichen unglücklichen Dunst beides, der Scharge und des Lebens beraubt; nirgends hielte es härter, als an obgemeldtem glatten Ort, dann welcher einen guten Feldwaibel oder Schergianten hatte, verlor ihn ungern, welches aber geschehen mußte, wenn man ein Fähnrich aus ihm gemacht hätte. Man nahm dahero, anstatt der alten Soldaten, viel lieber Plankschmeißer, Kammerdiener, erwachsene Page, arme Edelleut, irgends

Vettern und sonst Schmarotzer und Hungerleider, die denen, so etwas meritiert, das Brot vorm Maul abschnitten, und Fähnrich wurden.

## Das XVII. Kapitel

Simplicius erlebt nun im Traum den Streit zwischen einem Feldwebel und einem Mann namens Adelhold. Die beiden streiten um die Vorrechte des Adels auf diesem Baum, und der Feldwebel beklagt sich vor allem, daß seinesgleichen der Aufstieg durch den Adel versperrt wird. Simplicius hingegen findet das ganz in der Ordnung.

## Das XVIII. Kapitel

Ich mochte dem alten Esel nicht mehr zuhören, sondern gönnete ihm, was er klagte, weil er oft die arme Soldaten prügelte wie die Hund: Ich wendet mich wieder gegen den Bäumen, deren das ganze Land voll stunde, und sahe, wie sie sich bewegten, und zusammenstießen; da prasselten die Kerl haufenweis herunder, Knall und Fall war eins; augenblicklich frisch und tot, in einem Hui verlor einer ein Arm, der ander ein Bein, der dritte den Kopf gar. Als ich so zusahe, bedauchte mich, alle diejenige Bäum, die ich sahe, wären nur ein Baum, auf dessen Gipfel saße der Kriegsgott Mars und bedeckte mit des Baums Ästen ganz Europam; wie ich davorhielte, so hätte dieser Baum die ganze Welt überschatten können, weil er aber durch Neid und Haß, durch Argwohn und Mißgunst, durch Hoffart, Hochmut und Geiz, und andere dergleichen schöne Tugenden, gleichwie von scharfen Nordwinden angewehet würde, schiene er gar dünn und durchsichtig, dahero einer folgende Reimen an den Stamm geschrieben hat:

> Die Steineich, durch den Wind getrieben und verletzet,
> Ihr eigen Äst abbricht, sich ins Verderben setzet:
>   Durch innerliche Krieg und brüderlichen Streit
>   Wird alles umgekehrt, und folget lauter Leid.

Von dem gewaltigen Gerassel dieser schädlichen Wind, und Zerstümmlung des Baums selbsten, ward ich aus dem Schlaf erweckt und sahe mich nur allein in meiner Hütten. Dahero fieng ich wieder an zu gedenken, was ich doch immermehr anfangen sollte? Im Wald zu bleiben war mir unmüglich, weil mir alles so gar hinweggenommen worden, daß ich mich nicht mehr aufhalten konnte; nichts war mehr übrig als noch etliche Bücher, welche hin und her zerstreut, und durcheinander geworfen lagen: Als ich solche mit weinenden Augen wieder auflase, und zugleich Gott inniglich anrufte, er wollte mich doch leiten und führen, wohin ich sollte, da fand ich ohngefähr ein Brieflein, das mein Einsiedel bei seinem Leben noch geschrieben hatte, das lautet also: »Lieber Simplici, wann du dies Brieflein findest, so gehe alsbald aus dem Wald, und errette dich und den Pfarrer aus gegenwärtigen Nöten, denn er hat mir viel Guts getan: Gott, den du allweg vor Augen haben, und fleißig beten sollest, wird dich an ein Ort bringen, das dir am bequemsten ist. Allein habe denselbigen stets vor Augen, und befleißige dich, ihm jederzeit dergestalt zu dienen, als wann du noch in meiner Gegenwart im Wald wärest, bedenke und tue ohne Unterlaß meine letzte Reden, so wirst du bestehen mögen: Vale.«

Ich küßte dies Brieflein und des Einsiedlers Grab zu viel tausend Malen, und machte mich auf den Weg, Menschen zu suchen, bis ich deren finden möchte; gieng also zween Tag einen geraden Weg fort, und wie mich die Nacht begriff, suchte ich einen hohlen Baum zu meiner Herberg, mein Zehrung war nichts anders als Buchen, die ich unterwegs auflase; den dritten Tag aber kame ich ohnweit Gelnhausen auf ein ziemlich eben Feld, da genosse ich gleichsam eines hochzeitlichen Mahls, dann es lag überall voller Garben auf dem Feld, welche die Bauren, weil sie nach der namhaften Schlacht vor Nördlingen verjagt worden, zu meinem Glück nicht einführen können; in deren einer macht ich mein Nachtläger, weil es grausam kalt war, und sättigte mich mit ausgeriebenen Weizen, dergleichen ich lang nicht genossen.

## Aus dem IXX. Kapitel

Simplicius kommt in die Stadt Gelnhausen, in der kurz vorher
schwedische Verbündete von kaiserlichen Truppen überrumpelt
worden sind. Der schreckliche Anblick der Stadt veranlaßt ihn,
weiter nach der Festung Hanau zu gehen. Hier wird er alsbald
von zwei Musketieren aufgegriffen.

Ich muß dem Leser nur auch zuvor meinen damaligen visierlichen Aufzug erzählen, ehe daß ich ihm sage, wie mirs weiter gieng, dann meine Kleidung und Gebärden waren durchaus seltsam, verwunderlich und widerwärtig, so, daß mich
auch der Gouverneur abmalen lassen: Erstlich waren meine
Haar in dritthalb Jahren weder auf griechisch, teutsch noch
französisch abgeschnitten, gekampelt noch gekräuselt oder
gebüfft worden, sondern sie stunden in ihrer natürlichen
Verwirrung noch, mit mehr als jährigem Staub, anstatt des
Haarplunders, Puders oder Pulvers (wie man das Narren-
oder Närrinwerk nennet) durchstreuet, so zierlich auf meinem Kopf, daß ich darunter herfürsahe mit meinem bleichen
Angesicht, wie ein Schleiereul, die knappen will, oder sonst
auf eine Maus spannet. Und weil ich allzeit barhäuptig zu
gehen pflegte, meine Haar aber von Natur kraus waren,
hatte es das Ansehen, als wenn ich ein türkischen Bund auf-
gehabt hätte; der übrige Habit stimmte mit der Hauptzierd
überein, dann ich hatte meines Einsiedlers Rock an, wann ich
denselben anders noch einen Rock nennen darf, dieweil das
erste Gewand, daraus er geschnitten worden, gänzlich verschwunden, und nichts mehr darvon übrig gewesen, als die
bloße Form, welche mehr als tausend Stücklein allerhand
färbiges zusammengesetztes, oder durch vielfältiges Flicken
aneinandergenähetes Tuch noch vor Augen stellte. Über diesem abgangenem, und doch zu viel Malen verbessertem
Rock, trug ich das härin Hemd, anstatt eines Schulderkleids
(weil ich die Ärmel anstatt eines Paar Strümpfs brauchte,
und dieselbe zu solchem Ende herabgetrennet hatte), der
ganze Leib aber war mit eisernen Ketten, hinden und vornen fein kreuzweis, wie man Sanctum Wilhelmum zu malen

pflegt, umgürtet, so daß es fast eine Gattung abgab, wie mit denen, so vom Türken gefangen, und vor ihre Freunde zu betteln im Land umziehen; meine Schuh waren aus Holz geschnitten, und die Schuhbändel aus Rinden von Lindenbäumen geweben, die Füß selbst aber sahen so krebsrot aus, als wann ich ein Paar Strümpf von spanisch Leibfarb angehabt, oder sonst die Haut mit Fernambuk gefärbt hätte: Ich glaube, wenn mich damals ein Gaukler, Marktschreier oder Landfahrer gehabt, und vor einen Samojeden oder Grünländer dargeben, daß er manchen Narren angetroffen, der ein Kreuzer an mir versehen hätte. Ob nun zwar ein jeder Verständiger aus meinem magern und ausgehungerten Anblick und hinlässiger Aufziehung ohnschwer schließen können, daß ich aus keiner Garküchen, oder aus dem Frauenzimmer, weniger von irgendeines großen Herrn Hofhaltung entloffen, so wurde ich jedoch unter der Wacht streng examiniert. [...]

## Das XX. Kapitel

Nach dieser Untersuchung wird Simplicius vor den Gubernator von Hanau gebracht. Die Wache teilt dem Gubernator mit, daß man den Gefangenen auf den Verdacht hin, er sei ein Spion der Kaiserlichen, bereits durchsucht habe. Der Gubernator erhält das Birkenrindenbüchlein, in das Simplicius seine Gebete geschrieben hat und in dem auch der Brief des Einsiedels liegt. Die Schrift dieses Briefes läßt den Gubernator stutzig werden, er sagt, sie komme ihm bekannt vor. Offensichtlich erhärtet das seinen Verdacht gegenüber Simplicius, denn dieser wird sogleich in Ketten ins Gefängnis gebracht. Eben dort trifft er seinen Pfarrer wieder, der sich bereit erklärt, für ihn beim Gubernator einzutreten.

Ihm wurde erlaubt, zum Gubernator zu gehen, und über ein halbe Stund hernach wurd ich auch geholt und in die Gesind- stube gesetzt, allwo sich schon zween Schneider, ein Schuster mit Schuhen, ein Kaufmann mit Hüten und Strümpfen, und ein anderer mit allerhand Gewand eingestellt, damit ich ehist gekleidet würde; da zog man mir den Rock ab, samt der Ketten und dem härinen Hemd, auf daß die Schneider das Maß recht nehmen könnten. [...] Alsdann dorfte allererst der Feldscherer auch über mich herwischen; derselbe zwagte mir den Kopf, und richtet wohl anderthalbe Stund an mei- nen Haaren, folgends schnitte er sie ab auf die damalige Mode, dann ich hatte Haar übrig. Nachgehends setzt er mich in ein Badstüblein und säubert meinen mageren ausgehunger- ten Leib von mehr als drei- oder vierjährigem Unlust: Kaum war er fertig, da bracht man mir ein weißes Hemd, Schuhe und Strümpf, samt einem Überschlag oder Kragen, auch Hut und Feder; so waren die Hosen auch schön ausgemacht, und überall mit Galaunen verbrämt, allein manglets noch am Wams, daran die Schneider zwar auf die Eil arbeiteten; der Koch stellet sich mit einem kräftigen Süpplein ein, und die Kellerin mit einem Trank: Da saße mein Herr Simpli- cius wie ein junger Graf, zum besten akkommodiert; ich zehrte dapfer zu, ohnangesehen ich nicht wußte, was man mit mir machen wollte, dann ich wußte noch von keinem Henkermahl nichts, dahero tät mir die Erkostung dieses herrlichen Anfangs so trefflich kirr und sanft, daß ichs kei- nem Menschen genugsam sagen, rühmen und aussprechen kann; ja ich glaube schwerlich, daß ich mein Lebtag einiges- mal einen größern Wollust empfunden, als eben damals. Als nun das Wams fertig war, zog ichs auch an, und stellte in diesem neuen Kleid ein solch ungeschickte Postur vor Augen, daß es sahe wie ein Trophäum, oder als wenn man ein Zaun- stecken geziert hätte, weil mir die Schneider die Kleider mit Fleiß zu weit machen mußten, um der Hoffnung willen die man hatte, ich würde in kurzer Zeit zulegen, welches auch bei so gutem Futter augenscheinlich geschahe. Mein Waldkleid, samt der Ketten und aller Zugehör, wurde hingegen in die Kunstkammer zu andern raren Sachen und Antiquitäten getan, und mein Bildnus in Lebensgröß darneben gestellt. [ . . . ]


## Das XXII. Kapitel

Denselben Morgen befahl mir des Gouverneurs Hofmeister, ich sollte zu obgemeldtem Pfarrern gehen und vernehmen, was sein Herr meinetwegen mit ihm geredt hätte: Er gab mir einen Leibschützen mit, der mich zu ihm brachte, der Pfarrer aber führt mich in sein Museum, setzt sich, hieß mich auch sitzen, und sagte: »Lieber Simplici, der Einsiedel, bei dem du dich im Wald aufgehalten, ist nicht allein des hiesigen Gouverneurs Schwager, sondern auch im Krieg sein Beförderer und wertester Freund gewesen; wie dem Gubernator mir zu erzählen beliebt, so ist demselben von Jugend auf weder an Dapferkeit eines heroischen Soldaten, noch an Gottseligkeit und Andacht, die sonst einem Religioso zuständig, niemal nichts abgangen, welche beide Tugenden man zwar selten beieinander zu finden pflegt; sein geistlicher Sinn und widerwärtige Begegnüssen hemmeten endlich den Lauf seiner weltlichen Glückseligkeit, so daß er seinen Adel und ansehenliche Güter in Schotten, da er gebürtig, verschmähet und hindansetzet, weil ihm alle Welthändel abgeschmack, eitel und verwerflich vorkamen: Er verhoffte, mit einem Wort, seine gegenwärtige Hoheit um ein künftige bessere Glori zu verwechslen, weil sein hoher Geist einen Eckel an allem zeitlichen Pracht hatte, und sein Dichten und Trachten war nur nach einem solchen erbärmlichen Leben gerichtet, darin du ihn im Wald angetroffen, und bis in seinen Tod Gesellschaft geleistet hast: Meines Erachtens ist er durch Lesung vieler papistischen Bücher von dem Leben der alten Eremiten hierzu verleitet worden.
Ich will dir aber auch ohnverhalten, wie er in den Spessert

und seinem Wunsch nach zu solchem armseligen Einsiedlerleben kommen seie, damit du inskünftig auch andern Leuten etwas darvon zu erzählen weißt: Die zweite Nacht hernach, als die blutige Schlacht vor Höchst verloren worden, kam er einig und allein vor meinen Pfarrhof, als ich eben mit meinem Weib und Kindern gegen dem Morgen entschlafen war, weil wir wegen des Lärmens im Land, den beides, die Flüchtige und Nachjagende in dergleichen Fällen zu erregen pflegen, die vorige ganze und auch selbige halbe Nacht durch und durch gewacht hatten: Er klopfte erstlich sittig an, und folgends ungestümm genug, bis er mich und mein schlaftrunken Gesind erweckte, und nachdem ich auf sein Anhalten und wenig Wortwechseln, welches beiderseits gar bescheiden fiele, die Tür geöffnet, sahe ich den Cavallier von seinem mutigen Pferd steigen, sein kostbarlich Kleid war ebensosehr mit seiner Feinde Blut besprengt, als mit Gold und Silber verbrämt; und weil er seinen bloßen Degen noch in der Faust hielte, so kam mich Forcht und Schrecken an; nachdem er ihn aber einsteckte und nichts als lauter Höflichkeit vorbrachte, hatte ich Ursach mich zu verwundern, daß ein so braver Herr einen schlechten Dorfpfarrer so freundlich um Herberg anredet: Ich sprach ihn wegen seiner schönen Person und seines herrlichen Ansehens halber vor den Mansfelder selbst an. Er aber sagte, er sei demselben vor diesmal nur in der Unglückseligkeit nicht allein zu vergleichen, sondern auch vorzuziehen; drei Ding beklagte er, nämlich sein verlorne hochschwangere Gemahlin, die verlorne Schlacht, und daß er nicht gleich andern redlichen Soldaten in derselben vor das Evangelium sein Leben zu lassen das Glück gehabt hätte. Ich wollte ihn trösten, sahe aber bald, daß seine Großmütigkeit keines Trostes bedorfte; demnach teilte ich mit, was das Haus vermochte, und ließ ihm ein Soldatenbett von frischem Stroh machen, weil er in kein anders liegen wollte, wiewohl er der Ruhe sehr bedürftig war. Das erste, das er den folgenden Morgen tät, war, daß er mir sein Pferd schenkte, und sein Gelt (so er an Gold in keiner kleinen Zahl bei sich hatte) samt etlich köstlichen Ringen unter meine Frau, Kinder und Gesind austeilete. Ich wußte nicht, wie ich mit ihm dran war, weil die Soldaten viel eher zu nemmen als zu geben pflegen; trug derowegen Bedenkens, so große Verehrungen anzunemmen, und wandte vor, daß ich solches um ihn nicht meritiert noch hinwiederum zu verdienen wisse, zudem, sagte ich, wenn man solchen Reichtum, und sonderlich das köstliche Pferd, welches sich nicht verbergen ließe, bei mir und den Meinigen sähe, so würde männiglich schließen, ich hätte ihn berauben oder gar ermorden helfen. Er aber sagte, ich sollte diesfalls ohne Sorg leben, er wollte mich vor solcher Gefahr mit seiner eigenen Handschrift versichern, ja er begehre sogar sein Hemd, geschweige seine Kleider aus meinem Pfarrhof nicht zu tragen, und mit dem öffnet er mir seinen Vorsatz, ein Einsiedel zu werden: Ich wehrete mit Händen und Füßen was ich konnte, weil mich bedünkte, daß solch Vorhaben zumal nach dem Papsttum schmeckte, mit Erinnerung, daß er dem Evangelio mehr mit seinem Degen würde dienen können; aber vergeblich, denn er machte so lang und viel mit mir, bis ich alles eingieng, und ihn mit denjenigen Büchern, Bildern und Hausrat mondierte, die du bei ihm gefunden, wiewohl er nur der wüllinen Decke, darunter er dieselbige Nacht auf dem Stroh geschlafen, vor all dasjenige begehrte, das er mir verehrt hatte, daraus ließ er ihm einen Rock machen; so mußte ich auch meine Wagenketten, die er stetig getragen, mit ihm um eine güldene, daran er seiner Liebsten Conterfait trug, vertauschen, also daß er weder Gelt noch Gelts Wert behielte; mein Knecht führte ihn an das einödiste Ort des Walds, und half ihm daselbst seine Hütten aufrichten. Wasgestalt er nun sein Leben daselbst zugebracht, und wormit ich ihm zuzeiten an die Hand gangen und ausgeholfen, weißt du so wohl, ja zum Teil besser als ich.

Nachdem nun neulich die Schlacht vor Nördlingen verloren, und ich, wie du weißt, rein ausgeplündert und zugleich übel beschädiget worden, hab ich mich hieher in Sicherheit geflehnet, weil ich ohndas schon meine beste Sachen hier hatte: Und als mir die bare Geltmittel aufgehen wollten, nahm ich drei Ring und obgemeldte güldene Ketten, mitsamt dem anhangenden Conterfait, so ich von deinem Einsiedel hatte, maßen sein Petschierring auch darunter war, und trugs zu einem Juden, solches zu versilbern; der hat es aber der Köstlichkeit und schönen Arbeit wegen dem Gubernator käuflich angetragen, welcher das Wappen und Conterfait stracks gekennet, nach mir geschickt, und gefragt, woher ich solche Kleinodien bekommen? Ich sagte ihm die Wahrheit, wiese des Einsiedlers Handschrift oder Übergabsbrief auf, und erzählet allen Verlauf, auch wie er im Wald gelebt und gestorben: Er wollte solches aber nicht glauben, sondern kündet mir den Arrest an, bis er die Wahrheit besser erführe, und indem er im Werk begriffen war, eine Partei auszuschicken, den Augenschein seiner Wohnung einzunehmen und dich hieher holen zu lassen, so sehe ich dich in Turn führen. Weil dann der Gubernator nunmehr an meinem Vorgeben nicht zu zweiflen Ursach hat, indem ich mich auf den Ort, da der Einsiedel gewohnet, item auf dich und andere lebendige Zeugen mehr, insonderheit aber auf meinen Mesner berufen, der dich und ihn oft vor Tags in die Kirch gelassen, zumalen auch das Brieflein, so er in deinem Gebetbüchlein gefunden, nicht allein der Wahrheit, sondern auch des seligen Einsiedlers Heiligkeit ein treffliches Zeugnus gibt; als will er dir und mir wegen seines Schwagers sel. Gutes tun. Du darfst dich jetzt nur resolviern, was du wilt, daß er dir tun soll? wilt du studiern, so will er die Unkosten darzu geben; hast du Lust ein Handwerk zu lernen, so will er dich eins lernen lassen; wilt du aber bei ihm verbleiben, so will er dich wie sein eigen Kind halten, denn er sagte, wenn auch ein Hund von seinem Schwager sel. zu ihm käme, so wolle er ihn aufnehmen«: Ich antwortet, es gelte mir gleich was der Herr Gubernator mit mir machte.

## Das XXIII. bis XXIX. Kapitel

Den Entschluß des Gubernators, Simplicius nun Gutes ange-
deihen zu lassen, fördert der Pfarrer noch, indem er erzählt, wieviel Simplicius dem Einsiedel bedeutet hat. Der Gubernator ist
gerührt, erneuert sein Versprechen, und Simplicius tritt als Page
in seine Dienste.
Nun lernt der einfältige, aber sehr fromme Junge die Unsitten
und Laster des Soldatenlebens im Lager kennen. All dies Unge-
wohnte verwirrt ihn zunächst, er kann es schlecht in Einklang
bringen mit dem, was er beim Einsiedel gelernt hat.
Seine Einfältigkeit gibt Anlaß, mit ihm allerlei Unfug zu treiben,
dessen Folgen natürlich immer er zu tragen hat.
Als der Gubernator einmal ein Festessen gibt, wird Simplicius
zum Tischdienst eingeteilt.

## Das XXX. Kapitel

Bei dieser Mahlzeit (ich schätze, es geschicht bei andern
auch) tratte man ganz christlich zur Tafel, man sprach das
Tischgebet sehr still und allem Ansehen nach auch sehr andächtig: Solche stille Andacht kontinuierte so lang, als man
mit der Supp und den ersten Speisen zu tun hatte, gleichsam
als wenn man in einem Kapuzinerkonvent gessen hätte; aber
kaum hatte jeder drei- oder viermal *Gesegne Gott* gesagt,
da wurde schon alles viel lauter: Ich kann nicht beschreiben,
wie sich nach und nach eines jeden Stimm je länger je höher
erhebte, ich wollte dann die ganze Gesellschaft einem Orator
vergleichen, der erstlich sachte anfähet, und endlich heraus-
donnert: Man brachte Gerichter, deswegen Voressen genannt,
weil sie gewürzt, und vor dem Trunk zu genießen verordnet waren, damit derselbe desto besser gienge: item Beiessen,
weil sie bei dem Trunk nicht übel schmecken sollten, allerhand französischen Potagen und spanischen Olla Potriden
zu geschweigen; welche durch tausendfältige künstliche Zu-
bereitungen und ohnzahlbare Zusätze dermaßen verpfeffert,
überdummelt, vermummet, mixtiert und zum Trunk gerüstet

waren, daß sie durch solche zufällige Sachen und Gewürz mit ihrer Substanz sich weit anders verändert hatten, als sie die Natur anfänglich hervorgebracht, also daß sie Cnäus Manlius selbsten, wann er schon erst aus Asia kommen wäre und die beste Köch bei sich gehabt hätte, dennoch nicht gekennet hätte. Ich gedachte: Warum wollten diese einem Menschen, der ihm solche, und den Trunk darbei schmecken läßt (worzu sie dann vornehmlich bereitet sind), nicht auch seine Sinne zerstören und ihn verändern, oder gar zu einer Bestia machen können? Wer weiß, ob Circe andere Mittel gebraucht hat, als eben diese, da sie des Ulyssis Gefährten in Schwein verändert? Ich sahe einmal, daß diese Gäst die Trachten fraßen wie die Säu, darauf soffen wie die Kühe, sich darbei stellten wie die Esel, und all endlich kotzten wie die Gerberhund! Den edlen Hochheimer, Bacheracher und Klingenberger gossen sie mit kübelmäßigen Gläsern in Magen hinunder, welche ihre Würkungen gleich oben im Kopf verspüren ließen. Darauf sahe ich meinen Wunder, wie sich alles veränderte; nämlich verständige Leut, die kurz zuvor ihre fünf Sinn noch gesund beieinander gehabt, wie sie jetzt urplötzlich anfiengen närrisch zu tun und die alberste Ding von der Welt vorzubringen; die große Torheiten, die sie begiengen, und die große Trünk, die sie einander zubrachten, wurden je länger je größer, also daß es schiene, als ob diese beide um die Wett miteinander stritten, welches unter ihnen am größten wäre; zuletzt verkehrte sich ihr Kampf in eine unflätige Sauerei. Nichts Artlichers war, als daß ich nicht wußte, woher ihnen der Dürmel kam, sintemal mir die Würkung des Weins oder die Trunkenheit selbst noch allerdings unbekannt gewesen, welches dann lustige Grillen und Phantastengedanken in meinem werklichen Nachsinnen setzte; ich sahe wohl ihre seltsame Minas, ich wußte aber den Ursprung ihres Zustands nicht. Bis dahin hatte jeder mit gutem Appetit das Geschirr geleert, als aber die Mägen gefüllt waren, hielte es härter als bei einem Fuhrmann, der mit geruhtem Gespann auf der Ebne wohl fortkommt, am Berg aber nicht hotten kann. Nachdem aber die Köpf auch doll

wurden, ersetzte ihre Unmüglichkeit entweder des einen
Courage, die er im Wein eingesoffen, oder beim andern die
Treuherzigkeit, seinem Freund eins zu bringen, oder beim
dritten die teutsche Redlichkeit, ritterlich Bescheid zu tun:
Nachdeme aber solches die Länge auch nicht bestehen konnte,
beschwur je einer den andern bei großer Herren und sonst
lieber Freund, oder bei seiner Liebsten Gesundheit, den Wein
maßweis in sich zu schütten, worüber manchem die Augen
übergiengen und der Angstschweiß ausbrach; doch mußte es
gesoffen sein: Ja man machte zuletzt mit Trommeln, Pfeifen
und Saitenspiel Lärmen, und schoß mit Stücken darzu, ohn
Zweifel darum, dieweil der Wein die Mägen mit Gewalt
einnemmen mußte. Mich verwundert, wohin sie ihn doch
alle schütten könnten, weil ich noch nicht wußte, daß sie solchen, ehe er recht warm bei ihnen ward, wiederum mit grö-
ßem Schmerzen aus ebendem Ort herfürgaben, wohinein sie
ihn kurz zuvor mit höchster Gefahr ihrer Gesundheit ge-
gossen hatten.

Mein Pfarrer war auch bei dieser Gasterei, ihm beliebte sowohl als andern, weil er auch sowohl als andere ein Mensch
war, ein Abtritt zu nemmen. Ich gieng ihm nach und sagte:
»Mein Herr Pfarrer, warum tun doch die Leut so seltsam?
woher kommt es doch, daß sie hin und her dorkeln? mich
dünkt schier, sie seien nicht mehr recht witzig, sie haben sich
alle satt gessen und getrunken, und schwören bei Teufel
holen, wann sie mehr saufen können, und dennoch hören sie
nicht auf, sich auszuschoppen? Müssen sie es tun, oder ver-
schwenden sie Gott zu Trutz, aus freiem Willen so unnütz-
lich?« »Liebes Kind«, antwortet der Pfarrer, »Wein ein,
Witz aus! Das ist doch nichts gegen dem, das künftig ist:
Morgen gegen Tag ists noch schwerlich Zeit bei ihnen voneinander zu gehen, dann wenn schon ihre Mägen gedrungen
voll stecken, so sind sie jedoch noch nicht recht lustig gewest.« »Zerbersten dann«, sagte ich, »ihre Bäuch nicht, wenn
sie immer so unmäßig einschieben? können dann ihre Seelen,
die Gottes Ebenbild sein, in solchen Mastschweinkörpern
verharren? in welchen sie doch, gleichsam wie in finstern

Gefängnussen und ungeziefermäßigen Diebstürnen, ohn alle gottselige Regungen gefangen liegen? Ihre edle Seelen, sage ich, wie mögen sich solche so martern lassen? seind nicht ihre Sinne, welcher sich ihre Seelen bedienen sollten, wie in dem Eingeweid der unvernünftigen Tier begraben?« »Halts Maul«, antwortet der Pfarrer, »du dörftest sonst greulich Pumpes kriegen, hier ist kein Zeit zu predigen, ich wollts sonst besser als du verrichten.« Als ich dieses hörte, sahe ich ferner stillschweigend zu, wie man Speis und Trank mutwillig verderbte, unangesehen der arme Lazarus, den man damit hätte laben können, in Gestalt vieler hundert vertriebener Wetterauer, denen der Hunger zu den Augen herausguckte, vor unsern Türen verschmachtete, weil naut im Schank war.

## Das XXXI. bis XXXIV. Kapitel

An diesem Abend erleidet Simplicius wegen seiner Tölpelhaftigkeit noch allerlei Unangenehmes. Als man aber in der allgemeinen Betrunkenheit auch noch zu tanzen beginnt, meint Simplicius, das Haus würde einstürzen. In seiner Angst benimmt er sich einer Dame gegenüber recht »unziemlich«, wird dafür tüchtig durchgeprügelt und in einen Gänsestall gesperrt.

## ZWEITES BUCH

## *Das I. bis IV. Kapitel*

Simplicius entflieht aus dem Gänsestall. Der Gubernator nimmt ihn auf Fürsprache des Pfarrers erneut als Page in den Dienst. Das »närrische« Wesen des Jungen bringt den Herrn sogar auf den Gedanken, seinen Pagen zum Tischnarren »erziehen« zu lassen. Der Pfarrer unterrichtet Simplicius insgeheim von den Dingen, die da auf ihn zukommen, und rät ihm, wie er die Prozedur am besten überstehen könne, ohne wirklich närrisch zu werden.

Nun wird Simplicius von Soldaten vorgenommen, die ihm, als Teufel und Engel verkleidet, mit allerlei Hokuspokus vorzumachen suchen, er sei zuerst in der Hölle und dann im Himmel. Simplicius läßt all das und eine gute Portion Prügel über sich ergehen. Am dritten Tag findet er sich schließlich, angetan mit einem Kleid aus Kalbfell und einer Kappe mit Eselsohren, in seinem Gänsestall wieder.

## *Aus dem VII. Kapitel*

Simplicius spielt seine Rolle und brüllt wie ein hungriges Kalb. Daraufhin wird er aus dem Gefängnis geholt und seinem Herrn vorgeführt.

Also wurde ich von den beiden Soldaten dem Gouverneur präsentiert, gleichsam als ob sie mich erst auf Partei erbeutet hätten; dieselbe beschenkte er mit einem Trinkgeld, mir selbst aber versprach er die beste Sach, so ich bei ihm haben sollte. Ich gedachte wie des Goldschmieds Jung und sagte: »Wohl Herr, man muß mich aber in keinen Gänsstall sperren, dann wir Kälber können solches nicht erdulden, wann wir anders wachsen und zu einem Stück Hauptviehe werden sollen.« Der Gouverneur vertröstete mich eines Bessern und dünkte sich gar gescheid sein, daß er einen solchen visierlichen Narren aus mir gemacht hätte; hingegen gedacht ich: »Harre mein lieber Herr, ich hab die Prob des Feuers überstanden und bin darin gehärtet worden; jetzt wollen wir probieren, welcher den andern am besten agieren wird können.« Indem trieb ein geflehnter Baur sein Vieh zur Tränke; sobald ich das sahe, verließ ich den Gouverneur und eilete mit einem Kälbergeplärr den Kühen zu, gleichsam als ob ich an ihnen saugen wollte; diese, als ich zu ihnen kam, entsetzten sich ärger vor mir als vor einem Wolf, wiewohl ich ihrer Art Haar trug, ja sie wurden so schellig und zerstoben dermaßen voneinander, als wenn im Augusto ein Nest voll Hornussen unter sie gelassen worden wäre; also daß sie ihr Herr an selbigem Ort nicht mehr zusammenbringen konnte, welches ein artlichen Spaß abgabe. In einem Hui war ein Haufen Volk beieinander, das der Gaukelfuhr zusahe, und als mein Herr lachte, daß er hätte zerbersten mögen, sagte er endlich: »Ein Narr macht ihrer hundert.« Ich aber gedachte: »Und eben du bist derjenige, dem du jetzt wahr sagest.«

Gleichwie mich nun jedermann von selbiger Zeit an das Kalb nennete, also nennete ich hingegen auch einen jeden mit einem besonderen spöttischen Nachnamen; dieselbe fielen mehrenteils der Leut, und sonderlich meines Herrn Bedünken nach gar sinnreich, dann ich taufte jedweder nachdem seine Qualitäten erforderten. Summariter davon zu reden, so schätzte mich männiglich vor einen ohnweisen Toren, und ich hielte jeglichen vor einen gescheiden Narrn. Dieser Gebrauch ist meines Erachtens in der Welt noch üblich, maßen ein jeder mit seiner Witz zufrieden, und sich einbildet, er sei der Gescheideste unter allen.

Obige Kurzweil, die ich mit des Bauren Rindern anstellete, machte uns den kurzen Vormittag noch kürzer, denn es war damals eben um die winterliche Sonnenwende: Bei der Mittagsmahlzeit wartete ich auf wie zuvor, brachte aber benebens seltsame Sachen auf die Bahn, und als ich essen sollte, konnte niemand einige menschliche Speis oder Trank in mich bringen, ich wollte kurzum nur Gras haben, so damals zu bekommen ohnmüglich war. Mein Herr ließe ein paar frische Kalbfell von den Metzgern holen und solche zweien kleinen

Knaben über die Köpf streifen: Diese setzte er zu mir an den Tisch, traktierte uns in der ersten Tracht mit Wintersalat, und hieß uns wacker zuhauen, auch ließe er ein lebendig Kalb hinbringen und mit Salz zum Salat anfrischen. Ich sahe so starr darein, als wenn ich mich darüber verwunderte, aber der Umstand vermahnete mich mitzumachen; »jawohl«, sagten sie, wie sie mich so kaltsinnig sahen, »es ist nichts Neues, wenn Kälber Fleisch, Fisch, Käs, Butter und anders fressen: Was? sie saufen auch zuzeiten ein guten Rausch! die Bestien wissen nunmehr wohl, was gut ist; ja«, sagten sie ferner, »es ist heutigestags so weit kommen, daß sich nunmehr ein geringer Unterschied zwischen ihnen und den Menschen befindet, wolltest du dann allein nicht mitmachen?«

Dieses ließe mich um so viel desto ehender überreden, weil mich hungerte, und nicht darum, daß ich hiebevor schon selbst gesehen, wie teils Menschen säuischer als Schwein, grimmiger als Löwen, geiler als Böck, neidiger als Hund, unbändiger als Pferd, gröber als Esel, versoffener als Rinder, listiger als Füchs, gefräßiger als Wölf, närrischer als Affen, und giftiger als Schlangen und Krotten waren, welche dannoch allesamt menschlicher Nahrung genossen, und nur durch die Gestalt von den Tieren unterschieden waren, zumalen auch die Unschuld eines Kalbs bei weitem nicht hatten. [...]


## Das VIII. bis XII. Kapitel

Simplicius dient zur Erheiterung des Gubernators und seiner Tischgesellschaft. Einmal tritt Simplicius vor die Tafelrunde und setzt die ganze Gesellschaft durch seine Klugheit und treffsichere Kritik in Erstaunen. Ja, er gibt sich geradezu als Philosoph im Narrengewand, indem er ausführlich über die Vergänglichkeit und Nichtigkeit von Ruhm und Ehre spricht und seine Ansichten mit vielen Beispielen aus der Geschichte zu belegen weiß.

Hierauf fielen unterschiedliche Urteil über mich, die meines Herrn Tischgenossen gaben. Der Secretarius hielte darvor, ich seie vor närrisch zu halten, weil ich mich selbst vor ein vernünftig Tier schätzte und dargäbe, maßen diejenige so ein Sparrn zu viel oder zu wenig hätten, und sich jedoch weis zu sein dünkten, die allerartlichste oder visierlichste Narren wären: Andere sagten, wenn man mir die Imagination benähme, daß ich ein Kalb seie, oder mich überreden könnte, daß ich wieder zu einem Menschen worden wäre, so würde ich vor vernünftig oder witzig genug zu halten sein. Mein Herr selbst sagte: »Ich halte ihn vor einen Narrn, weil er jedem die Wahrheit so ungescheut sagt; hingegen seind seine Diskursen so beschaffen, daß solche keinem Narrn zustehen.« Und solches alles redeten sie auf Latein, damit ichs nicht verstehen sollte. Er fragte mich, ob ich studiert hätte, als ich noch ein Mensch gewesen? »Ich wüßte nicht, was studieren seie«, war mein Antwort, »aber lieber Herr«, sagte ich weiters, »sag mir, was Studen vor Dinger sein, damit man studieret? Nennest du vielleicht die Kegel so, damit man keglet?« Hierauf antwortet der dolle Fähnrich: »Watt wolts met deesem Kerl sin? hey hett den Tüfel in Liff, hey ist beseeten, de Tüfel der kühret ut jehme.« Dahero nahm mein Herr Ursach, mich zu fragen, sintemal ich dann nunmehr zu einem Kalb worden wäre, ob ich noch wie vor diesem, gleich andern Menschen, zu beten pflege, und in Himmel zu kommen getraue? »Freilich«, antwortet ich, »ich habe ja meine unsterbliche menschliche Seel noch, die wird ja, wie du leichtlich gedenken kannst, nicht in die Höll begehren, vornehmlich weil mirs schon einmal so übel darinnen ergangen; ich bin nur verändert, wie vor diesem Nabuchodonosor, und dörfte ich noch wohl zu seiner Zeit wieder zu einem Menschen werden.« »Das wünsche ich dir«, sagte mein Herr mit einem zimblichen Seufzen: Daraus ich leichtlich schließen konnte, daß ihn eine Reu ankomme, weil er mich zu einem Narren zu machen unterstanden. »Aber laß hören«, fuhr er

weiter fort, »wie pflegst du zu beten?« Darauf kniet ich
nieder, hube Augen und Hände auf gut einsiedlerisch gen
Himmel, und weilen meines Herrn Reu, die ich gemerkt
hatte, mir das Herz mit trefflichem Trost berührte, konnte
ich auch die Tränen nicht enthalten, bat also dem äußerlichen
Ansehen nach, mit höchster Andacht, nach gesprochenem
Vatterunser, vor alles Anliegen der Christenheit, vor meine
Freund und Feind, und daß mir Gott in dieser Zeitlichkeit
also zu leben verleihen wolle, daß ich würdig werden
möchte, ihn in ewiger Seligkeit zu loben; maßen mich mein
Einsiedel ein solches Gebet mit andächtigen konzipierten
Worten gelehret hat. Hiervon fiengen etliche weichherzige
Zuseher auch beinahe an zu weinen, weil sie ein trefflich
Mitleiden mit mir trugen, ja meinem Herrn selbst stunden
die Augen voller Wasser. [. . .]

Den Gubernator ängstigt nun des Simplicius seltsames Auftreten. Er glaubt mit einem Mal, mit der Narrenverwandlung eine
große Sünde begangen zu haben. Dem Pfarrer, dem er sich anvertraut, gelingt es schließlich, ihn zu überzeugen, daß man Simplicius von dem Wahn, ein Kalb zu sein, heilen könne. Auch davon
erfährt Simplicius durch den Pfarrer.


## Das XIV. bis XIX. Kapitel

Doch bevor es zu einer »Rückverwandlung« kommt, wird Simplicius von streunenden kroatischen Söldnern entführt. Nachdem
es ihm gelungen ist, von diesen zu fliehen, greifen ihn kaiserliche
Soldaten auf und bringen ihn ins Magdeburger Lager. Wieder als
Narr tritt er in den Dienst eines Obristen, doch wird er nach einiger Zeit der Aufsicht eines Hofmeisters unterstellt.

Dieser war ein Mann nach meinem Herzen, dann er war
still, verständig, wohlgelehrt, von guter, aber nicht überflüssiger Konversation, und was das größte gewesen, überaus gottsförchtig, wohlbelesen und voll allerhand Wissenschaften und Künsten; bei ihm mußte ich des Nachts in sei-

ner Zelten schlafen, und bei Tag dorft ich ihm auch nicht aus den Augen; er war eines vornehmen Fürsten Rat und Beamter, zumal auch sehr reich gewesen; weil er aber von den Schwedischen bis in Grund ruiniert worden, zumaln auch sein Weib mit Tod abgangen, und sein einiger Sohn Armut halber nicht mehr studieren konnte, sondern unter der Chursächsischen Armee vor einen Musterschreiber dienete, hielte er sich bei diesem Obristen auf und ließe sich vor einen Stallmeister gebrauchen, um zu verharren, bis die gefährliche Kriegsläuften am Elbstrom sich änderten, und ihme alsdann die Sonne seines vorigen Glücks wieder scheinen möchte.

## Das XX. Kapitel

Weil mein Hofmeister mehr alt als jung war, also konnte er auch die ganze Nacht nicht durchgehend schlafen; solches war ein Ursach, daß er mir in der ersten Wochen hinder die Brief kam und austrücklich vernahm, daß ich kein solcher Narr war, wie ich mich stellete: Wie er denn zuvor auch etwas gemerkt und von mir aus meinem Angesicht ein anders geurteilet hatte, weil er sich wohl auf die Physiognomiam verstund. Ich erwachte einsmals um Mitternacht und machte über mein eigen Leben und seltsame Begegnussen allerlei Gedanken, stunde auch auf, und erzählte danksagungsweis alle Guttaten, die mir mein lieber Gott erwiesen, und alle Gefahren, aus welchen er mich errettet; legte mich hernach wieder nieder mit schweren Seufzen, und schlief vollends aus. Mein Hofmeister hörete alles, tät aber, als wenn er hart schlief, und solches geschahe etliche Nächt nacheinander, also daß er sich genugsam versichert hielte, daß ich mehr Verstand hätte als mancher Betagter, der sich viel einbilde; doch redet er nichts mit mir im Zelt hiervon, weil sie zu dinne Wänd hatte und er gewisser Ursachen halber nicht haben wollte, daß noch zurzeit, und ehe er meiner Unschuld versichert wäre, jemand anders diese Geheimnus wüßte. Einsmals gieng ich hinder das Läger spazieren, welches er gern geschehen ließe, damit er Ursach hätte mich zu suchen und also die Gelegenheit bekäme, allein mit mir zu reden: Er fand mich nach Wunsch an einem einsamen Ort, da ich meinen Gedanken Audienz gab, und sagte: »Lieber guter Freund, weil ich dein Bestes zu suchen unterstehe, erfreue ich mich, daß ich hier allein mit dir reden kann; ich weiß, daß du kein Narr bist, wie du dich stellest, zumalen auch in diesem elenden und verächtlichen Stand nicht zu leben begehrest: Wenn dir nun deine Wohlfahrt lieb ist, auch zu mir als einem ehrlichen Mann dein Vertrauen setzen willst, so kannst du mir deiner Sachen Bewandnus erzählen; so will ich hingegen, wo müglich, mit Rat und Tat bedacht sein, wie dir etwan zu helfen sein möchte, damit du aus deinem Narrnkleid kommest.«

Hierauf fiel ich ihm um den Hals, und erzeigte mich vor übriger Freud nicht anders, als wann er ein Prophet gewest wäre, mich von meiner Narrnkapp zu erlösen; und nachdem wir sich auf die Erde gesetzt hatten, erzählte ich ihm mein ganzes Leben; er beschaute meine Händ, und verwundert sich beides, über die verwichene und künftige seltsame Zufälle; wollte mir aber durchaus nicht raten, daß ich in Bälde mein Narrnkleid ablegen sollte, weil er, wie er sagte, vermittelst der Chiromantia sahe, daß mir mein Fatum eine Gefängnus androhe, die Leib- und Lebensgefahr mit sich brächte. Ich bedankte mich seiner guten Neigung und mitgeteilten Rats, und bat Gott, daß er ihm seine Treuherzigkeit belohnen, ihn selber aber, daß er (weil ich von aller Welt verlassen wäre) mein getreuer Freund und Vatter sein und bleiben wollte.

Demnach stunden wir auf und kamen auf den Spielplatz, da man mit Würfeln turnieret und alle Schwür mit hunderttausend mal tausend, Galleen, Rennschifflein, Tonnen und Stadtgräben voll etc. herausfluchte; der Platz war ungefähr so groß als der Alte Markt zu Köln, überall mit Mänteln überstreut, und mit Tischen bestellt, die alle mit Spielern umgeben waren; jede Gesellschaft hatte drei viereckigte Schelmenbeiner, denen sie ihr Glück vertrauten, weil sie ihr Geld teilen, und solches dem einen geben, dem andern aber nemmen mußten: So hatte auch jeder Mantel oder Tisch einen Schunderer (Scholderer wollte ich sagen, und hätte doch schier Schinder gesagt), dieser Amt war, daß sie Richter sein, und zusehen sollten, daß keinem unrecht geschehe; sie liehen auch Mäntel, Tisch und Würfel her, und wußten deswegen ihr Gebühr so wohl vom Gewinn einzunemmen, daß sie gewöhnlich das meiste Geld erschnappten; doch faselt es nicht, dann sie verspieltens gemeiniglich wieder, oder wenns gar wohl angelegt wurde, so bekams der Marketender, oder der Feldscherer, weil ihnen die Köpf oft gewaltig geflickt wurden.

An diesen närrischen Leuten sahe man sein blauen Wunder, weil sie alle zu gewinnen vermeinten, welches doch unmüglich, sie hätten denn aus einer fremden Daschen gesetzt, und ob sie zwar alle diese Hoffnung hatten, so hieß es doch: Viel Köpf, viel Sinn, weil sich jeder Kopf nach seinem Glück sinnete, denn etliche trafen, etliche fehlten; etliche gewannen, etliche verspielten: Derowegen auch etliche fluchten, etliche donnerten; etliche betrogen, und andere wurden besäbelt; dahero lachten die Gewinner, und die Verspieler bissen die Zähn aufeinander; teils verkauften Kleider, und was sie sonst liebhatten, andere aber gewinneten ihnen das Geld wieder ab; etliche begehrten redliche Würfel, andere hingegen wünschten falsche auf den Platz und führten solche unvermerkt ein, die aber andere wieder hinwegwurfen, zerschlugen, mit Zähnen zerbissen, und den Scholderern die Mäntel zerrissen. Unter den falschen Würfeln befanden sich Niederländer, welche man schleifend hineinrollen mußte; diese hatten so spitzige Rucken, darauf sie die Fünfer und Sechser trugen, als wie die magere Esel darauf man die Soldaten setzt. Andere waren oberländisch, denselben mußte man die bayrische Höhe geben, wenn man werfen wollte: Etliche waren von Hirschhorn, leicht oben, und schwer unden gemacht: Andere waren mit Quecksilber oder Blei, und aber andere mit zerschnittenen Haaren, Schwämmen, Spreu und Kohlen gefüttert; etliche hatten spitzige Eck, an andern waren solche gar hinweggeschliffen; teils waren lange Kolben, und teils sahen aus wie breite Schildkrotten. Und alle diese Gattungen waren auf nichts anders, als auf Betrug verfertigt, sie taten dasjenige, worzu sie gemacht waren, man mochte sie gleich wippen, oder sanft schleichen lassen; da half kein Knüpfens, geschweige jetzt deren, die entweder zween Fünfer, oder zween Sechser, und im Gegenteil entweder zwei Äß oder zwei Dauß hatten: Mit diesen Schelmenbeinern zwackten, laureten und stahlen sie einander ihr Geld ab, welches sie vielleicht auch geraubt, oder wenigst mit Leib- und Lebensgefahr oder sonst saurer Mühe und Arbeit erobert hatten.

Als ich nun so da stunde und den Spielplatz samt den Spielern in ihrer Torheit betrachte, sagte mein Hofmeister, wie mir das Wesen gefalle? Ich antwortet: »Daß man so greulich Gott lästert, gefällt mir nicht, im übrigen aber lasse ichs in seinem Wert und Unwert beruhen, als eine Sach die mir unbekannt ist, und auf welche ich mich noch nichts verstehe.« Hierauf sagte mein Hofmeister ferner: »So wisse, daß dieses der allerärgste und abscheulichste Ort im ganzen Läger ist; dann hier sucht man eines andern Geld, und verlieret das seinige darüber: Wann einer nur einen Fuß hieher setzt, in Meinung zu spielen, so hat er das zehende Gebot schon übertretten, welches will: ›*Du solt deines Nächsten Gut nicht begehren!*‹ Spielest du und gewinnest, sonderlich durch Betrug und falsche Würfel, so übertrittest du das siebend und achte Gebot: Ja es kann kommen, daß du auch zu einem Mörder an demjenigen wirst, dem du sein Geld abgewonnen hast, wenn nämlich dessen Verlust so groß ist, daß er darüber in Armut, in die äußerste Not und Desperation, oder sonst in andere abscheuliche Laster gerät, darvor die Ausred nichts hilft, wenn du sagst: ›Ich hab das Meinig darangesetzt, und redlich gewonnen‹; dann du Schalk bist auf den Spielplatz gangen, der Meinung, mit eines andern Schaden reich zu werden: Verspielest du dann, so ists mit der Buß darum nicht ausgericht, daß du des Deinigen entbehren mußt, sondern du hasts, wie der reiche Mann, bei Gott schwerlich zu verantworten, daß du dasjenige so unnütz verschwendet, welches er dir zu dein und der Deinigen Lebensaufenthalt verliehen gehabt! Wer sich auf den Spielplatz begibt zu spielen, derselbe begibt sich in eine Gefahr, darinnen er nicht allein sein Geld, sondern auch sein Leib, Leben, ja, was das allerschröcklichste ist, sogar seiner Seelen Seligkeit verlieren kann. Ich sage dir dieses zur Nachricht, liebster Simplici, weil du vorgibst, das Spielen sei dir unbekannt, damit du dich all dein Leben lang davor hüten sollest.« [...]

## Aus dem XXI. Kapitel

Simplicius bewährt sich als Narr, und der Hofmeister schweigt von dem, was er von seinem Zögling weiß. Der Schreiber des Obristen erzählt Simplicius allerlei Unfug über das Lagerleben, den dieser für seine Narreteien oft zu verwenden weiß.

Hingegen unterhielte mich mein Hofmeister, wenn er allein bei mir war, mit viel einem andern Diskurs, er brachte mich auch in seines Sohns Kundschaft, welcher wie hiebevor gemeldet worden, bei der Chursächsischen Armee ein Musterschreiber war und weit andere Qualitäten an sich hatte, als meines Obristen Schreiber; dahero mochte ihn mein Obrister nicht allein gerne leiden, sondern er war auch bedacht, ihn von seinem Kapitän loszuhandlen, und zu seinem Regimentssecretario zu machen, auf welche Stell obgemeldter sein Schreiber sich auch spitzete.
Mit diesem Musterschreiber, welcher auch, wie sein Vatter, Ulrich Herzbruder hieße, machte ich ein solche Freundschaft, daß wir ewige Brüderschaft zusammen schwuren, kraft deren wir einander in Glück und Unglück, in Lieb und Leid nimmermehr verlassen wollten: Und weil dieses mit Wissen seines Vattern geschahe, hielten wir den Bund desto fester und steifer. Demnach lage uns nichts härter an, als wie wir meines Narrenkleids mit Ehren los werden und einander rechtschaffen dienen möchten; welches aber der alte Herz-

bruder, den ich als meinen Vatter ehrete und vor Augen hatte, nicht guthieße, sondern austrücklich sagte: Wenn ich in kurzer Zeit meinen Stand änderte, daß mir solches ein schwere Gefängnus und große Leib- und Lebensgefahr gebären würde: Und weil er auch ihm selbst und seinem Sohn einen großen bevorstehenden Spott prognostizierte, und dahero Ursach zu haben vermeinte, desto vorsichtiger und behutsamer zu leben; als wollte er sich um soviel desto weniger in einer Person Sachen mischen, deren künftige große Gefahr er vor Augen sehen konnte, dann er besorgte, er möchte meines künftigen Unglücks teilhaftig werden, wenn ich mich offenbarte, weil er bereits vorlängst meine Heimlichkeit gewußt, und mich gleichsam in- und auswendig gekannt, meine Beschaffenheit aber dem Obristen nicht kundgetan hatte.

Kurz hernach merkte ich noch besser, daß meines Obristen Schreiber meinen neuen Bruder schröcklich neidete, weil er besorgte, er möchte vor ihme zu der Sekretariatstell erhoben werden, dann ich sahe wohl, wie er zuzeiten griesgramete, wie ihm die Mißgunst so gedrang tät, und daß er in schweren Gedanken allezeit seufzete, wenn er entweder den alten oder den jungen Herzbruder ansahe; daraus urteilte ich, und glaubte ohn allen Zweifel, daß er Kalender machte, wie er ihm ein Bein vorsetzen, und zu Fall bringen möchte. Ich kommunizierte meinem Bruder, beides aus getreuer Affektion und tragender Schuldigkeit, dasjenige, was ich argwohnete, damit er sich vor diesem Judasbruder ein wenig vorsehen sollte; er aber nahm es auf die leichte Achsel, Ursach, weil er dem Schreiber sowohl mit der Feder, als mit dem Degen mehr als genug überlegen war, und darzu noch des Obristen große Gunst und Gnad hinweghatte.

Mit viel List gelingt es dem Schreiber Olivier, Herzbruder als Dieb anzuschwärzen. Dieser fällt in Ungnade, muß seinen Abschied nehmen und geht in schwedische Dienste. Als auch noch der alte Herzbruder stirbt, hat Simplicius seine einzigen Freunde im Lager verloren. Er ist das Narrengewand leid, und ihn hält nichts mehr im Lager.

Doch der Versuch, die Lage zu ändern, bringt keinen großen Vorteil. Er vertauscht zwar, in Ermangelung von Besserem, sein Narrengewand mit Frauenkleidern, bleibt aber bei den kaiserlichen Truppen. In seiner neuen Aufmachung ergeht es ihm nun nicht immer zum besten, er wird auf Schritt und Tritt von Männern verfolgt.

## *Aus dem XXVI. Kapitel*

Als er seine Verfolger mit bloßen Worten nicht mehr abwehren kann und seine Verkleidung entdeckt wird, kommt er unter dem Verdacht, ein verkleideter Spion zu sein, ins Gefängnis. Dort beginnt ein peinliches Verhör durch den Regimentsschultheißen.

Die Punkten, darauf ich Antwort geben sollte, waren diese: Erstlich, ob ich nicht studiert hätte, oder aufs wenigste Schreibens und Lesens erfahren wäre?

Zweitens, warum ich mich in Gestalt eines Narrn dem Läger vor Magdeburg genähert, da ich doch in des Rittmeisters Diensten sowohl als jetzt witzig genug seie?

Drittens, aus was Ursachen ich mich in Weiberkleider verstellet?

Viertens, ob ich mich nicht auch neben andern Unholden auf dem Hexentanz befunden?

Wo Fünftens mein Vatterland, und wer meine Eltern gewesen seien?

Sechstens, wo ich mich aufgehalten, ehe ich in das Läger vor Magdeburg kommen?

Wo und zu was End ich Siebendens die Weiberarbeit, als wäschen, bachen, kochen etc. gelernet? Item das Lautenschlagen?

Hierauf wollte ich mein ganzes Leben erzählen, damit die Umständ meiner seltsamen Begegnussen alles recht erläutern und diese Fragen mit der Wahrheit fein verständlich unterscheiden könnten. Der Regimentsschultheiß war aber nicht so kurios, sondern vom Marschieren müd und verdrossen; derowegen begehrte er nur eine kurze runde Antwort auf das, was gefragt würde. Demnach antwortet ich folgendergestalt, daraus man aber nichts Eigentliches und Gründliches fassen konnte, und zwar

Auf die erste Frag, ich hätte zwar nicht studiert, könnte aber doch Teutsch lesen und schreiben.

Auf die Zweite, weil ich kein ander Kleid gehabt, hätte ich wohl im Narrnkleid aufziehen müssen.

Auf die Dritte, weil ich meines Narrnkleids müd gewesen, und keine Mannskleider haben können.

Auf die Vierte, ja, ich sei aber wider meinen Willen hingefahren, könnte aber gleichwohl nicht zaubern.

Auf die Fünfte, mein Vatterland sei der Spessert, und meine Eltern Bauersleut.

Auf die Sechste, zu Hanau bei dem Gubernator, und bei einem Kroatenobrist, Corpes genannt.

Auf die Siebende, bei den Kroaten hab ich wäschen, bachen und kochen wider meinen Willen müssen lernen, zu Hanau aber das Lautenschlagen, weil ich Lust darzu hatte.

Wie diese meine Aussag geschrieben war, sagte er: »Wie kannst du leugnen und sagen, daß du nicht studiert habest, da du doch, als man dich noch vor einen Narrn hielte, einem Priester unter währender Meß auf die Wort ›Domine, non sum dignus‹ auch in Latein geantwortet, er dörfte solches nicht sagen, man wisse es zuvor wohl?« »Herr«, antwortet ich, »das haben mich damals andere Leut gelernet, und mich überredet, es seie ein Gebet, das man bei der Meß sprechen müsse, wann unser Kaplan den Gottesdienst verrichte«; »ja, ja«, sagte der Regimentsschultheiß, »ich sehe dich vor den Rechten an, dem man die Zung mit der Folter lösen muß.« Ich gedachte: So helf Gott! wanns deinem närrischen Kopf nach gehet.

Am andern Morgen früh kam Befehl vom Generalauditor an unsern Profosen, daß er mich wohl in acht nehmen sollte, dann er war gesinnt, sobald die Armeen still lägen, mich selbst zu examinieren, auf welchen Fall ich ohne Zweifel an die Folter gemüßt hätte, wann es Gott nicht anders gefügt. [...]

## Aus dem XXVII. Kapitel

Als Simplicius nochmals vom Generalauditor verhört wird, kommt man zu dem Schluß, er müsse ein Spion sein, und man solle ihn zuerst foltern und dann auf dem Scheiterhaufen verbrennen.

Aber ehe man diesen strengen Prozeß mit mir ins Werk setzte, gerieten die Banierische den Unserigen in die Haar; gleich anfänglich kämpften die Armeen um den Vortel, und gleich darauf um das schwere Geschütz, dessen die Unserige stracks verlustigt wurden: Unser Profos hielte zwar ziemlich weit mit seinen Leuten und den Gefangenen hinder der Battalia, gleichwohl aber waren wir unser Brigade so nahe, daß wir jeden von hinderwärts an den Kleidern erkennen konnten; und als eine schwedische Eskadron auf die Unserige traf, waren wir sowohl als die Fechtende selbst in Todsgefahr, dann in einem Augenblick floge die Luft so häufig voller singenden Kugeln über uns her, daß es das Ansehen hatte, als ob die Salve uns zu Gefallen gegeben worden wäre; darvon duckten sich die Forchtsame, als ob sie sich in sich selbst hätten verbergen wollen; diejenige aber, so Courage hatten und mehr bei dergleichen Scherz gewesen, ließen solche ohnverblichen über sich hinstreichen; im Treffen selbst aber suchte ein jeder seinem Tod mit Niedermachung des Nächsten, der ihm aufstieß, vorzukommen; das greuliche Schießen, das Gekläpper der Harnisch, das Krachen der Piken und das Geschrei beides der Verwundten und Angreifenden, machten neben den Trompeten, Trommeln und Pfeifen ein erschröckliche Musik! da sahe man nichts als einen dicken Rauch und Staub, welcher schiene, als wollte er die Abscheulichkeit der Verwundten und Toten bedecken, in demselbigen hörete man ein jämmerliches Weheklagen der Sterbenden, und ein lustiges Geschrei derjenigen, die noch voller Mut staken; die Pferd selbst hatten das Ansehen, als wenn sie zu Verteidigung ihrer Herrn je länger je frischer würden, so hitzig erzeigten sie sich in dieser Schuldigkeit, welche sie zu leisten genötiget waren, deren sahe man etliche unter ihren Herrn tot darniederfallen, voller Wunden, welche sie unverschuldterweis zu Vergeltung ihrer getreuen Dienste empfangen hatten; andere fielen um gleicher Ursach willen auf ihre Reuter, und hatten also in ihrem Tod die Ehr, daß sie von denjenigen getragen wurden, welche sie in währendem Leben tragen müssen, wiederum andere, nachdem sie ihrer herzhaften Last, die sie kommandiert hatte, entladen worden, verließen die Menschen in ihrer Wut und Raserei, rissen aus und suchten im weiten Feld ihr erste Freiheit: Die Erde, deren Gewohnheit ist, die Toten zu bedecken, war damals an selbigem Ort selbst mit Toten überstreut, welche auf unterschiedliche Manier gezeichnet waren, Köpf lagen dorten, welche ihre natürliche Herren verloren hatten, und hingegen Leiber, die ihrer Köpf mangleten; etliche hatten grausam- und jämmerlicherweis das Ingeweid heraus, und andern war der Kopf zerschmettert, und das Hirn zerspritzt; da sahe man, wie die entseelte Leiber ihres eigenen Geblüts beraubet, und hingegen die lebendige mit fremdem Blut beflossen waren; da lagen abgeschossene Ärm, an welchen sich die Finger noch regten, gleichsam als ob sie wieder mit in das Gedräng wollten, hingegen rissen Kerles aus, die noch keinen Tropfen Blut vergossen hatten; dort lagen abgelöste Schenkel, welche ob sie wohl der Bürde ihres Körpers entladen, dannoch viel schwerer worden waren, als sie zuvor gewesen; da sahe man zerstümmelte Soldaten um Beförderung ihres Tods, hingegen andere um Quartier und Verschonung ihres Lebens bitten. Summa Summarum, da war nichts anders als ein elender jämmerlicher Anblick! Die schwedische Sieger trieben unsere Überwundene von der Stell, darauf sie so unglücklich gefochten, nachdem sie solche zuvor zertrennt hatten, sie mit ihrer schnellen Verfolgung vollends zerstreuende. Bei welcher Bewandnus mein Herr Profos mit seinen Gefangenen auch nach der Flucht griffe, wiewohl wir mit einiger Gegenwehr um die Überwinder keine Feindseligkeit verdient hatten; und indeme er, Profos, uns mit dem Tod bedrohete, und also nötigte samt ihm durchzugehen, jagte der junge Herzbruder daher mit noch fünf Pferden, und grüßte ihn mit einer Pistoln: »Sehe da, du alter Hund«, sagte er, »ists noch Zeit, junge Hündlein zu machen? Ich will dir deine Mühe bezahlen!« Aber der Schuß beschädigt den Profosen so wenig, als einen stählernen Amboß: »Oho bist du der Haar?« sagte Herzbruder, »ich will dir nicht vergeblich zu Gefallen herkommen sein, du mußt sterben, und wäre dir gleich die Seel angewachsen!« nötigt darauf einen Musketierer von des Profosen bei sich gehabter Wacht, daß er ihn, dafern er anderst selbst Quartier haben wollte, mit einer Axt zu Tod schlug. Also bekam der Profos seinen Lohn, ich aber wurde von Herzbruder erkannt, welcher mich meiner Ketten und Band entledigen, auf ein Pferd setzen, und durch seinen Knecht in Sicherheit führen ließe.

## Das XXVIII. Kapitel

Nach dieser glücklichen Rettung wird Herzbruder jedoch am Ende der Schlacht gefangengenommen. Simplicius kommt mit Herzbruders Knecht und Pferden an einen schwedischen Rittmeister. Mit ihm gelangt er als Reitknecht und Küraßträger nach Westfalen. Doch bald muß er erneut den Herrn wechseln. Ein kaiserlicher Dragoner gewinnt ihn bei einem Überfall als Beute.

## Aus dem XXIX. Kapitel

Dieser sein neuer Herr ist jedoch recht knausrig, und für Simplicius beginnt daher ein mageres Leben. Das dauert, bis sein Herr und er als militärischer Schutz in ein Nonnenkloster ge-

schickt werden. Im Kloster, das den schönen Namen »Paradeis«
trägt, lebt Simplicius wieder auf.

Das Paradeis fanden wir, wie wirs begehrten, und noch darüber; anstatt der Engel schöne Jungfrauen darinnen, welche
uns mit Speis und Trank also traktierten, daß ich in Kürze
wieder einen glatten Balg bekam; dann da setzte es das fet-
teste Bier, die beste westfalische Schinken und Knackwürst,
wohlgeschmack und sehr delikat Rindfleisch, das man aus
dem Salzwasser kochte und kalt zu essen pflegte; da lernete
ich das schwarze Brod fingersdick mit gesalzenem Butter
schmieren und mit Käs belegen, damit es desto besser rutsch-
te; und wann ich so über einen Hammelskolben kam, der mit
Knoblauch gespickt war, und ein gute Kanne Bier darneben
stahn hatte, so erquickte ich Leib und Seel, und vergaße all
meines ausgestandenen Leids. In Summa, dies Paradeis
schlug mir so wohl zu, als ob es das rechte gewest wäre; kein
ander Anliegen hatte ich, als daß ich wußte, daß es nicht
ewig währen würde, und daß ich so zerlumpt dahergehen
mußte.
Aber gleichwie mich das Unglück haufenweis überfiele, da
es anfieng mich hiebevor zu reuten, also bedunkte mich auch
jetzt, das Glück wollte es wieder wett spielen: Dann als mich
mein Herr nach Soest schickte, seine Bagage vollends zu
holen, fand ich unterwegs einen Pack und in demselben etliche Ehlen Scharlach zu einem Mantel, samt rotem Sammet
zum Futter; das nahm ich mit und verdauschte es zu Soest
mit einem Tuchhändler um gemein grünwüllen Tuch zu einem Kleid, samt der Ausstaffierung mit dem Geding, daß
er mir solches Kleid auch machen lassen und noch darzu
einen neuen Hut aufgeben sollte; und demnach mir nur noch
ein Paar neuer Schuh und ein Hemd abgieng, gab ich dem
Krämer die silberne Knöpf und Galaunen auch, die zu dem
Mantel gehörten, worvor er mir dann schaffte, was ich noch
brauchte, und mich also nagelneu herausbutzte. Also kehrte
ich wieder ins Paradeis zu meinem Herrn, welcher gewaltig
kollerte, daß ich ihm den Fund nicht gebracht hatte, ja er

sagte mir vom Brügeln und hätte ein geringes genommen (wann er sich nicht geschämt, und ihm das Kleid gerecht gewesen wäre), mich auszuziehen und das Kleid selbst zu tragen, wiewohl ich mir eingebildet, gar wohl gehandelt zu haben.

Indessen mußte sich der karge Filz schämen, daß sein Jung besser gekleidet war als er selbsten; derowegen ritte er nach Soest, borgte Geld von seinem Hauptmann und mondierte sich damit aufs beste, mit Versprechen, solches von seinen wochentlichen Salvaguardigeldern wiederzuerstatten, welches er auch fleißig tät; er hätte zwar selbsten noch wohl so viel Mittel gehabt, er war aber viel zu schlau, sich anzugreifen, dann hätte ers getan, so wäre ihm die Bärnhaut entgangen, auf welcher er denselbigen Winter im Paradeis liegen konnte, und wäre ein anderer nackender Kerl an seine Statt gesetzt worden; mit der Weis aber mußte ihn der Hauptmann wohl liegen lassen, wollte er anders sein ausgeliehen Geld wiederhaben. Von dieser Zeit an hatten wir das allerfäulste Leben von der Welt, in welchem Keglen unser allergrößte Arbeit war; wann ich meines Dragoners Klepper gestriegelt, gefüttert und getränkt hatte, so trieb ich das Junkernhandwerk und gieng spazieren; das Kloster war auch von den Hessen, unserm Gegenteil, von der Lippstadt aus, mit einem Musketier salvaguardiert; derselbe war seines Handwerks ein Kürschner und dahero nicht allein ein Meistersänger, sondern auch ein trefflicher Fechter, und damit er seine Kunst nicht vergäße, übte er sich täglich mit mir vor die lange Weil in allen Gewehren, worvon ich so fix wurde, daß ich mich nicht scheute ihm Bescheid zu tun wann er wollte; mein Dragoner aber kegelte anstatt des Fechtens mit ihm, und zwar um nichts anders, als wer über Tisch das meiste Bier aussaufen mußte: damit gieng eines jeden Verlust übers Kloster.

Das Stift vermochte ein eigene Wildbahn und hielte dahero auch einen eigenen Jäger; und weil ich auch grün gekleidet war, gesellete ich mich zu ihm und lernete ihm denselben Herbst und Winter alle seine Künste ab, sonderlich was das kleine Waidwerk angelangt. Solcher Ursachen halber, und weil der Nam Simplicius etwas ungewöhnlich und den gemeinen Leuten vergeßlich oder sonst schwer auszusprechen war, nennete mich jedermann *»dat Jäjerken«*; darbei wurden mir alle Weg und Steg bekannt, welches ich mir hernach trefflich zunutz machte. [...]

## Das XXX. Kapitel

Als sein Herr stirbt, verschafft sich Simplicius vor allem dessen Hose, in die eine stattliche Anzahl Dukaten eingenäht ist. Mit dem Geld rüstet er sich noch besser aus und beginnt im grünen Gewand unter dem ihm so angenehmen Namen »Jäger« seinen ersten Ruhm einzuheimsen. Besonders bei Beutezügen tut er sich hervor, so daß ihn Kameraden und Offiziere bei seiner jetzigen Truppe in Soest schätzen, die Bauern der Umgebung ihn hingegen fürchten.

## Das XXXI. Kapitel

Ich muß ein Stücklein oder etliche erzählen, die mir hin und wieder begegnet, ehe ich wieder von meinen Dragonern kam; und ob sie schon nicht von Importanz sein, sind sie doch lustig zu hören, dann ich nahm nicht allein große Ding vor, sondern verschmähet auch die geringe nicht, wann ich nur mutmaßete, daß ich Ruhm bei den Leuten dardurch erwecken möchte. Mein Hauptmann wurde mit etlich und fünfzig Mann zu Fuß in das Vest von Recklinckhusen kommandiert, einen Anschlag daselbst zu verrichten, und weil wir gedachten, wir würden, ehe wir solchen ins Werk setzen könnten, einen Tag oder etlich uns in den Büschen heimlich halten müssen, nahm jeder auf acht Tag Proviant zu sich; demnach aber die reiche Caravana, deren wir aufpaßten, die bestimmte Zeit nicht ankam, gieng uns das Brod aus, welches wir nicht rauben dorften, wir hätten uns dann selbst verraten und unser Vorhaben zu nichts werden lassen wollen, dahero uns der Hunger gewaltig preßte; so hatte ich auch diesorts keine Kunden wie anderswo, die mir und den Meinigen etwas heimlich zutrugen, derowegen mußten wir, Fütterung zu bekommen, auf andere Mittel bedacht sein, wenn wir anders nicht wieder leer heim wollten; mein Kamerad, ein lateinischer Handwerksgesell, der erst kürzlich aus der Schul entloffen und sich unterhalten lassen, seufzete vergeblich nach den Gerstensuppen, die ihm hiebevor seine Eltern zum Besten verordnet, er aber verschmähet und verlassen hatte; und als er so an seine vorige Speisen gedachte, erinnert er sich auch seines Schulsacks, bei welchem er solche genossen. »Ach Bruder«, sagte er zu mir, »ists nicht eine Schand, daß ich nicht so viel Künste erstudiert haben soll, vermittelst deren ich mich jetzund füttern könnte, Bruder, ich weiß revera, wann ich nur zum Pfaffen in jenes Dorf gehen dörfte, daß es ein trefflich Convivium bei ihm setzen sollte!« Ich überlief diese Wort ein wenig und ermaß unsern Zustand, und weil diejenige so Weg und Steg wußten, nicht hinaus dörften, dann sie wären sonst erkannt worden, die Unbekannte aber keine Gelegenheit wußten, etwas heimlich zu stehlen oder zu kaufen, als machte ich meinen Anschlag auf unsern Studenten und hielte die Sach dem Hauptmann vor; wiewohl nun dasselbige Gefahr auf sich hatte, so war doch sein Vertrauen so gut zu mir, und unsere Sach so schlecht bestellt, daß er darein konsentierte.

Ich verwechselte meine Kleider mit einem andern und zottelt mit meinem Studenten besagtem Dorf zu durch einen weiten Umschweif, wiewohl es nur ein halbe Stund von uns lag; in demselben erkannten wir das nächste Haus bei der Kirch vor des Pfarrers Wohnung, weil es auf städtisch gebaut war und an einer Mauer stunde, die um den ganzen Pfarrhof gieng: Ich hatte meinen Kameraden schon instruiert, was er reden sollte, dann er hatte sein abgeschaben Studentenkleidlein noch an; ich aber gab mich vor einen Malergesellen aus, dann ich gedachte, ich würde dieselbe Kunst im Dorf nicht üben dörfen, weil die Bauren nicht bald gemalte Häuser haben. Der geistliche Herr war höflich; als ihm mein Gesell ein tiefe lateinische Reverenz gemacht und einen Haufen dahergelogen hatte, wasgestalt ihn die Soldaten auf der Reis geplündert und aller seiner Zehrung beraubt hätten, botte er ihm selbst ein Stück Butter und Brod, neben einem Trunk Bier an; ich aber stellte mich, als ob ich nicht zu ihm gehörte, und sagte, ich wollte im Wirtshaus etwas essen, und ihm alsdann rufen, damit wir noch denselben Tag ein Stück Wegs hinder sich legen könnten: Also gieng ich dem Wirtshaus zu, mehr auszuspähen was ich dieselbe Nacht holen wollte, als meinen Hunger zu stillen; hatte auch das Glück, daß ich unterwegs einen Bauren antraf, der seinen Bachofen zukleibte, welcher große Pumpernickel darinnen hatte, die 24 Stund da sitzen und ausbachen sollten. Ich machts beim Wirt kurz, weil ich schon wußte wo Brod zu bekommen war, kaufte etliche Stutten (das ist ein so genanntes weiß Brod), solche meinem Hauptmann zu bringen; und da ich in Pfarrhof kame, meinen Kameraden zu mahnen, daß er gehen sollte, hatte er sich auch schon gekröpft und dem Pfarrer gesagt, daß ich ein Maler sei und in Holland zu wandern vorhabens wäre, meine Kunst daselbsten vollends zu perfektionieren; der Pfarrherr hieße mich sehr willkomm sein und bat mich, mit ihm in die Kirch zu gehen, da er mir etliche Stück weisen wollte, die zu reparieren wären: Damit ich nun das Spiel nicht verderbte, mußte ich folgen: Er führte uns durch die Küchen, und als er das Nachtschloß an der starken eichenen Tür aufmachte, die auf den Kirchhof gieng, o mirum! da sahe ich, daß der schwarze Himmel auch schwarz voller Lauten, Flöten und Geigen hienge, ich vermeine aber die Schinken, Knackwürst und Speckseiten, die sich im Kamin befanden; diese blickte ich trostmütig an, weil mich bedünkte, als ob sie mit mir lachten, und wünschte sie, aber vergeblich, meinen Kameraden in Wald, dann sie waren so hartnäckig, daß sie mir zu Trotz hangen blieben; da gedachte ich auf Mittel, wie ich sie obgedachtem Bachofen voll Brod zugesellen möchte, konnte aber so leicht keines ersinnen, weil, wie obgemeldt, der Pfarrhof ummauret, und alle Fenster mit eisernen Gittern genugsam verwahret waren; so lagen auch zween ungeheure große Hund im Hof, welche, wie ich sorgte, bei Nacht gewißlich nicht schlafen würden, wann man dasjenige hätte stehlen wollen, daran ihnen auch zu Belohnung ihrer getreuen Hut zu nagen gebührte.

Wie wir nun in die Kirch kamen, von den Gemälden allerhand diskurierten und mir der Pfarrer etliche Stück auszubessern verdingen wollte, ich aber allerhand Ausflücht suchte, und meine Wanderschaft vorwandte, sagte der Mesner oder Glöckner: »Du Kerl, ich sehe dich ehe vor einen verloffenen Soldatenjungen an, als vor einen Malergesellen.« Ich war solcher Reden nicht mehr gewohnet, und sollte sie doch verschmirzen; doch schüttelt ich nur den Kopf ein wenig und antwortet ihm: »O du Kerl, gib mir nur geschwind Bensel und Farben her, so will ich dir in Hui einen Narrn dahergemalt haben, wie du einer bist.« Der Pfarrer machte ein Gelächter daraus und sagte zu uns beiden, es gezieme sich nicht an einem so heiligen Ort einander wahr zu sagen; gab damit zu verstehen, daß er uns beiden glaubte, ließ uns noch einen Trunk langen, und also dahinziehen. Ich aber ließe mein Herz bei den Knackwürsten.

Wir kamen noch vor Nacht zu unsern Gesellen, da ich meine Kleider und Gewehr wieder nahm, dem Hauptmann meine Verrichtung erzählet und sechs gute Kerl auslase, die das Brod heimtragen sollten helfen; wir kamen um Mitternacht ins Dorf und huben in aller Stille das Brod aus dem Ofen, weil wir einen bei uns hatten, der die Hund bannen konnte, und da wir bei dem Pfarrhof vorüber wollten, konnte ichs nicht übers Herz bringen, ohne Speck weiters zu passiern; ich stund einmals still und betrachtete mit Fleiß, ob nicht in des Pfaffen Küchen zu kommen sein möchte? sahe aber keinen andern Eingang als das Kamin, welches vor diesmal meine Tür sein mußte; wir trugen Brod und Gewehr auf den Kirchhof ins Beinhaus und brachten ein Leiter und Seil aus einer Scheur zuwegen, und weil ich so gut als ein Schornsteinfeger in den Kaminen auf- und absteigen konnte (als welches ich von Jugend auf in den hohlen Bäumen gelernet hatte), stiege ich selbander aufs Dach, welches von hohlen

Ziegeln doppelt belegt und zu meinem Vorhaben sehr bequem gebaut war: Ich wickelte meine lange Haar über dem Kopf auf einen Büschel zusammen, ließ mich mit einem End des Seils hinunter zu meinem geliebten Speck und band einen Schinken nach dem andern, und eine Speckseite nach der andern an das Seil, welches der auf dem Dach fein ordentlich zum Dach hinausfischete, und den andern in das Beinhäuslein zu tragen gabe. Aber potz Unstern! da ich allerdings Feirabend gemacht hatte und wieder übersich wollte, brach eine Stange mit mir, also daß der arme Simplicius herunterfiele und der elende Jäger sich selbst wie in einer Mausfallen gefangen befande: Meine Kameraden auf dem Dach ließen das Seil herunder, mich wieder hinaufzuziehen, aber es zerbrach, ehe sie mich vom Boden brachten. Ich gedachte: ›Nun, Jäger, jetzt mußt du eine Hatz ausstehen, in welcher dir selbst, wie dem Aktäon, das Fell gewaltig zerrissen wird werden‹; dann der Pfarrer war von meinem Fall erwacht und befohl seiner Köchin, alsbald ein Liecht anzuzünden: Sie kam im Hemd zu mir in die Küchen, hatte den Rock über der Achsel hangen und stunde so nahe neben mich, daß sie mich damit rührte; sie griff nach einem Brand, hielte das Liecht daran, und fieng an zu blasen; ich aber bliese viel stärker zu, als sie selbsten, davon das gute Mensch so erschrak, daß sie Feur und Liecht fallen ließe und sich zu ihrem Herrn retirierte. Also bekame ich Luft, mich zu bedenken, durch was Mittel ich mir darvonhelfen möchte, es wollte mir aber nichts einfallen: Meine Kameraden gaben mir durchs Kamin herunder zu verstehen, daß sie das Haus aufstoßen und mich mit Gewalt herausnemmen wollten, ich gabs ihnen aber nicht zu, sondern befohl, sie sollten ihr Gewehr in acht nemmen und allein den Springinsfeld oben bei dem Kamin lassen und erwarten, ob ich ohne Lärmen und Rumor darvonkommen könnte, damit unser Anschlag nicht zu Wasser würde; wofern aber solches nicht sein möchte, sollten sie alsdenn ihr Bestes tun. Interim schlug der Geistliche selbst ein Liecht an, seine Köchin aber erzählte ihm, daß ein greulich Gespenst in der Küchen wäre, welches zween Köpf hätte (dann sie hatte vielleicht meinen Büschel Haar auf dem Kopf gesehen und auch vor einen Kopf gehalten); das hörete ich alles, machte mich derowegen mit meinen schmutzigen Händen, darin ich Aschen, Ruß und Kohlen riebe, im Angesicht und an Händen so abscheulich, daß ich ohn Zweifel keinem Engel mehr (wie hiebevor die Klosterfrauen im Paradeis sagten) gleichsahe, und der Mesner, wann ers gesehen, mich wohl vor einen geschwinden Maler hätte passieren lassen. Ich fienge an in der Küchen schröcklich zu poldern und allerlei Küchengeschirr untereinander zu werfen; der Kesselring geriet mir in die Händ, den hängte ich an den Hals, den Feuerhacken aber behielt ich in den Händen, mich damit auf den Notfall zu wehren; solches ließe sich aber der fromme Pfaff nicht irren, dann er kam mit seiner Köchin prozessionsweis daher, welche zwei Wachsliechter in den Händen und einen Weihwasserkessel am Arm trug; er selbsten aber war mit dem Chorrock bewaffnet, samt den Stollen, und hatte den Sprengel in der einen und ein Buch in der andern Hand; aus demselben fienge er an mich zu exorzieren, fragende: Wer ich seie und was ich da zu schaffen hätte? Weil er mich dann nun vor den Teufel selbst hielte, so gedachte ich, es wäre billich, daß ich auch wie der Teufel täte, daß ich mich mit Lügen behülfe, antwortet derowegen: »Ich bin der Teufel und will dir und deiner Köchin die Häls umdrehen!« Er fuhr mit seinem Exorcismo weiter fort und hielte mir vor, daß ich weder mit ihm noch seiner Köchin nichts zu schaffen hätte, hieße mich auch mit der allerhöchsten Beschwörung wieder hinfahren, wo ich herkommen wäre; ich aber antwortet mit ganz förchterlicher Stimm, daß solches unmüglich seie, wenn ich schon gern wollte. Indessen hatte Springinsfeld, der ein abgefeumter Erzvogel war und kein Latein verstunde, seine seltsame Tausendhändel auf dem Dach; dann da er hörete, um welche Zeit es in der Küchen war, daß ich mich nämlich vor den Teufel ausgab, mich auch der Geistliche also hielte, wixte er wie eine Eul, bellete wie ein Hund, wieherte wie ein Pferd, plehckte wie ein Geißbock, schriee wie ein Esel und ließe sich bald durch den Kamin herunder hören wie ein Haufen Katzen, die im Hornung rammeln, bald wie eine Henne, die legen wollte; dann dieser Kerl konnte aller Tier Stimme nachmachen, und wann er wollte, so natürlich heulen, als ob ein ganzer Haufen Wölf beieinander gewesen wäre. Solches ängstigte den Pfarrer und seine Köchin auf das höchste, ich aber machte mir ein Gewissen, daß ich mich vor den Teufel beschwören ließe, vor welchen er mich eigentlich hielte, weil er etwan gelesen oder gehöret hatte, daß sich der Teufel gern in grünen Kleidern sehen lasse.

Mitten in solchen Ängsten, die uns beiderseits umgeben hatten, wurde ich zu allem Glück gewahr, daß das Nachtschloß an der Tür, die auf den Kirchhof gienge, nicht eingeschlagen, sondern der Riegel nur vorgeschoben war: Ich schob denselben geschwind zurück, wischte zur Tür hinaus auf den Kirchhof (da ich dann meine Gesellen mit aufgezogenen Hahnen stehen fande), und ließ den Pfaffen Teufel beschwören, solang er immer wollte. Und demnach Springinsfeld mir meinen Hut von dem Dach gebracht, wir auch unsern Proviant aufgesackt hatten, giengen wir zu unserer Bursch, weil wir im Dorf nichts mehr zu verrichten hatten, als daß wir die entlehnte Leiter samt dem Seil wieder hätten heimliefern sollen.

Die ganze Partei erquickte sich mit demjenigen das wir gestohlen hatten, und bekam doch kein einiger den Klucksen darvon: so gesegnete Leut waren wir! Auch hatten alle über diese meine Fahrt genugsam zu lachen; nur dem Studenten wollte es nicht gefallen, daß ich den Pfaffen bestohlen, der ihm das Münkelspiel so grandig besteckt hatte, ja er schwur auch hoch und teur, daß er ihm seinen Speck gern bezahlen wollte, wenn er die Mittel nur bei der Hand hätte, und fraße doch nichtsdestoweniger mit, als ob ers verdingt hätte. Also lagen wir noch zween Tag an selbigem Ort, und erwarteten diejenige, denen wir schon so lang aufgepaßt hatten; wir verloren keinen einigen Mann im Angriff und bekamen doch über dreißig Gefangene und so herrliche Beuten, als ich jemals teilen helfen: Ich hatte doppelt Part, weil ich das Beste getan; das waren drei schöner friesländischer Hengst mit Kaufmannswaren beladen, was sie in Eil forttragen möchten; und wann wir Zeit gehabt, die Beuten recht zu suchen und solche in Salvo zu bringen, so wäre jeder vor sein Teil reich genug worden, maßen wir mehr stehen lassen, als wir darvonbrachten, weil wir mit dem was wir fortbringen konnten, sich in schnellster Eil dummlen mußten; und zwar so retirierten wir uns mehrer Sicherheit halber auf Rehnen, da wir fütterten und die Beuten teilten, weil unsers Volks da lag. Daselbst gedachte ich wieder an den Pfaffen, dem ich den Speck gestohlen hatte; der Leser mag denken, was ich vor einen verwegenen, freveln und ehrgeizigen Kopf hatte, indem mirs nicht genug war, daß ich den frommen Geistlichen bestohlen und so schröcklich geängstiget, sondern ich wollte noch Ehr darvon haben; derowegen nahm ich einen Saphir, in einen güldenen Ring gefaßt, den ich auf selbiger Partei erschnappt hatte, und schickte ihn von Rehnen aus durch einen gewissen Boten meinem Pfarrer, mit folgendem Brieflein:

Wohlehrwürdiger, etc. Wenn ich dieser Tagen im Wald noch etwas von Speisen zu leben gehabt hätte, so hätte ich nicht Ursach gehabt, E. Wohl-Ehrw. Ihren Speck zu stehlen, worbei Sie vermutlich sehr erschröckt worden. Ich bezeuge beim Höchsten, daß Sie solche Angst wider meinen Willen eingenommen, hoffe derowegen die Vergebung desto ehender: Was aber den Speck selbst anbelangt, so ists billich, daß selbiger bezahlt werde, schickte derohalben anstatt der Bezahlung gegenwärtigen Ring, den diejenige hergeben, um welcher willen die War ausgenommen werden müssen, mit Bitt, E. Wohl-Ehrw. belieben damit vorliebzunehmen; versichere darneben, daß dieselbe im übrigen auf alle Begebenheit einen dienstfertigen und getreuen Diener hat an dem, den dero Mesner vor keinen Maler hält, welcher sonst genannt wird

*Der Jäger.*

Dem Bauren aber, welchem sie den Bachofen ausgeleert hatten, schickte die Partei aus gemeiner Beut 16 Reichstaler, dann ich hatte sie gelernet, daß sie solchergestalt den Landmann auf ihre Seite bringen müssen, als welche einer Partei oft aus allen Nöten helfen, oder hingegen eine andere verraten, verkaufen und um die Häls bringen könnten. Von Rehnen giengen wir auf Münster, und von dar auf Hamm, und heim nach Soest in unser Quartier, allwo ich nach wenig Tagen ein Antwort von dem Pfaffen empfieng, die also lautet:

Edler Jäger, etc. Wann derjenige, dem Ihr den Speck gestohlen, hätte gewußt, daß Ihr ihme in teuflischer Gestalt erscheinen würdet, hätte er sich nicht so oft gewünscht, den landberuffenen Jäger auch zu sehen: Gleichwie aber das geborgte Fleisch und Brod viel zu teuer bezahlt worden, also ist auch der eingenommene Schrecken desto leichter zu verschmirzen, vornehmlich weil er von einer so berühmten Person wider ihren Willen verursacht worden, deren hiemit allerdings verziehen wird, mit Bitt, dieselbe wolle ein andermal ohne Scheu zusprechen bei dem der sich nicht scheuet, den Teufel zu beschwören. Vale.

Also machte ichs allerorten und überkam dardurch einen großen Ruf, und je mehr ich ausgabe und verspendierte, je mehr flossen mir Beuten zu, und bildet ich mir ein, daß ich diesen Ring, wiewohl er bei 100 Reichstaler wert war, gar wohl angelegt hätte. Aber hiemit hat dieses zweite Buch ein Ende.

DRITTES BUCH

## Das I. und II. Kapitel

Simplicius wird als »Jäger von Soest« berühmt, vor allem, nachdem er einen Rivalen, den sogenannten »Jäger von Werle«, durch einen inszenierten Teufelsspuk aus dem Feld geschlagen hat. »Der Jäger verschwand bald aus Werle, weil er sich viel zu sehr schämte, dann sein Kamerad sprengte allerorten aus, und beteurets mit heftigen Flüchen, daß ich wahrhaftig zween leibhaftiger Teufel hätte, die mir auf den Dienst warteten, darum ich noch mehr geförchtet, hingegen aber desto weniger geliebt wurde.«

## Das III. Kapitel

Solches wurde ich bald gewahr; derhalben stellte ich mein vorig gottlos Leben allerdings ab und beflisse mich allein der Tugend und Frömmigkeit; ich gienge zwar wie zuvor wieder auf Partei, erzeigte mich aber gegen Freunden und Feinden so leutselig und diskret, daß all diejenige, so mir unter die Händ kamen, ein anders glaubten, als sie von mir gehört hatten; überdas hielt ich auch mit den überflüssigen Verschwendungen innen und sammlete mir viel schöne Dukaten und Kleinodien, welche ich hin und wieder in der Soestischen Börde auf dem Land in hohle Bäum verbarg, weil mir solches die bekannte Wahrsagerin zu Soest riete und mich versicherte, daß ich mehr Feind in derselben Stadt und unter meinem Regiment, als außerhalb und in den feindlichen Garnisonen hätte, die mir und meinem Geld nachstellten. Und indem man hin und her Zeitung hatte, daß der Jäger ausgerissen wäre, saße ich denen, die sich damit kützelten, wieder ohnversehens auf der Hauben; und ehe ein Ort recht erführ, daß ich an einem andern Schaden getan, empfande dasselbige schon, daß ich noch vorhanden war; denn ich fuhre herum wie ein Windsbraut, war bald hie bald dort, also daß man mehr von mir zu sagen wußte als zuvor, da sich noch einer vor mich ausgab.

Ich saße einsmals mit 25 Feuerröhren nicht weit von Dorsten und paßte einer Konvoi mit etlichen Fuhrleuten auf, die nach Dorsten kommen sollte; ich hielte meiner Gewohnheit nach selbst Schildwacht, weil wir dem Feind nahe waren; da kam ein einziger Mann daher, fein ehrbar gekleidet, der redte mit ihm selbst und hatte mit seinem Meerrohr, das er in Händen trug, ein seltsam Gefecht; ich konnte nichts anders verstehen, als daß er sagte: *»Ich will einmal die Welt strafen, es wolle mirs dann das große Numen nicht zugeben!«* Woraus ich mutmaßete, es möchte etwan ein mächtiger Fürst sein, der so verkleidterweis herumgienge, seiner Undertanen Leben und Sitten zu erkundigen, und sich nun vorgenommen hätte, solche (weil er sie vielleicht nicht nach seinem Willen gefunden) gebührend zu strafen: Ich gedachte: ›Ist dieser Mann vom Feind, so setzts ein gute Ranzion; wo nicht, so wiltu ihn so höflich traktieren, und ihm dardurch das Herz dermaßen abstehlen, daß es dir künftig dein Lebtag wohl bekommen soll‹, sprang derhalben hervor, präsentiert mein Gewehr mit aufgezogenem Hahnen und sagte: »Der Herr wird ihm belieben lassen, vor mir hin in Busch zu gehen, wofern er nicht als Feind traktiert sein will.« Er antwortet sehr ernsthaftig: »Solcher Traktation ist meinesgleichen nit gewohnt.« Ich aber dummelt ihn höflich fort und sagte: »Der Herr wird ihm nicht zuwider sein lassen, sich vor diesmal in die Zeit zu schicken«, und als ich ihn in den Busch zu meinen Leuten gebracht und die Schildwachten wieder besetzt hatte, fragte ich ihn, wer er seie? Er antwortet gar großmütig, es würde mir wenig daran gelegen sein, wenn ichs schon wüßte, er sei auch ein großer Gott! Ich gedachte, er möchte mich vielleicht kennen und etwan ein Edelmann von Soest sein, und so sagen mich zu hetzen, weil man die Soester mit dem großen Gott und seinem güldenen Fürtuch zu vexieren pflegt, wurde aber bald innen, daß ich anstatt eines Fürsten einen Phantasten gefangen hätte, der sich überstudiert und in der Poeterei gewaltig verstiegen, denn da er bei mir ein wenig erwarmte, gab er sich vor den Gott Jupiter aus.

Ich wünschte zwar, daß ich diesen Fang nicht getan; weil ich den Narrn aber hatte, mußt ich ihn wohl behalten, bis wir von dannen rückten; und demnach mir die Zeit ohnedas ziemlich lang wurde, gedachte ich, diesen Kerl zu stimmen und mir seine Gaben zunutz zu machen, sagte derowegen zu ihm: »Nun dann mein lieber Jove, wie kommts doch, daß deine hohe Gottheit ihren himmlischen Thron verläßt und zu uns auf Erden steigt? vergebe mir, o Jupiter, meine Frage, die du vor fürwitzig halten möchtest, dann wir seind den himmlischen Göttern auch verwandt und eitel Sylvani, von den Faunis und Nymphis geboren, denen diese Heimlichkeit billich ohnverborgen sein solle.« »Ich schwöre dir beim Styx«, antwortet Jupiter, »daß du hiervon nichts erfahren solltest, wenn du meinem Mundschenken Ganymede nicht so ähnlich sähest, und wenn du schon Pans eigener Sohn wärest; aber von seinetwegen kommuniziere ich dir, daß ein groß Geschrei über der Welt Laster zu mir durch die Wolken gedrungen, darüber in aller Götter Rat beschlossen worden, ich könnte mit Billichkeit, wie zu Lykaons Zeiten, den Erdboden wieder mit Wasser austilgen; weil ich aber dem menschlichen Geschlecht mit sonderbarer Gunst gewogen bin, und ohnedas allezeit lieber die Güte, als eine strenge Verfahrung brauche, vagiere ich jetzt herum, der Menschen Tun und Lassen selbst zu erkündigen; und obwohl ich alles ärger finde, als mirs vorkommen, so bin ich doch nicht gesinnt, alle Menschen zugleich und ohne Unterscheid auszureuten, sondern nur diejenige zu strafen, die zu strafen sind, und hernach die übrige nach meinem Willen zu ziehen.«

Ich mußte zwar lachen, verbisse es doch so gut als ich konnte, und sagte: »Ach Jupiter, deine Mühe und Arbeit wird besorglich allerdings umsonst sein, wenn du nicht wieder, wie vor diesem, die Welt mit Wasser, oder gar mit Feur heimsuchest; dann schickest du einen Krieg, so laufen alle böse verwegene Buben mit, welche die friedliebende fromme Menschen nur quälen werden; schickest du eine Teurung, so ists ein erwünschte Sach vor die Wucherer, weil alsdann denselben ihr Korn viel gilt; schickst du aber ein Sterben, so haben die Geizhäls und alle übrige Menschen ein gewonnen Spiel, indem sie hernach viel erben; wirst derhalben die ganze Welt mit Butzen und Stiel ausrotten müssen, wenn du anders strafen wilt.«

## Das IV. Kapitel

Jupiter antwortet: »Du redest von der Sach wie ein natürlicher Mensch, als ob du nicht wüßtest, daß uns Göttern möglich sei, etwas anzustellen, daß nur die Böse gestraft, und die Gute erhalten werden; ich will einen teutschen Helden erwecken, der soll alles mit der Schärfe des Schwerds vollenden; er wird alle verruchte Menschen umbringen und die fromme erhalten und erhöhen.« Ich sagte: »So muß ja ein solcher Held auch Soldaten haben, und wo man Soldaten braucht, da ist auch Krieg, und wo Krieg ist, da muß der Unschuldig sowohl als der Schuldig herhalten!« »Seid ihr irdische Götter denn auch gesinnt wie die irdische Menschen«, sagte Jupiter hierauf, »daß ihr so gar nichts verstehen könnet? Ich will einen solchen Helden schicken, der keiner Soldaten bedarf und doch die ganze Welt reformieren soll; in seiner Geburtstund will ich ihm verleihen einen wohlgestalten und stärkern Leib, als Herkules einen hatte, mit Fürsichtigkeit, Weisheit und Verstand überflüssig geziert; hierzu soll ihm Venus geben ein schön Angesicht, also daß er auch Narcissum, Adonidem und meinen Ganymedem selbst übertreffen solle; sie soll ihm zu allen seinen Tugenden ein sonderbare Zierlichkeit, Aufsehen und Anmütigkeit vorstrecken und dahero ihn bei aller Welt beliebt machen, weil ich sie eben der Ursachen halber in seiner Nativität desto freundlicher anblicken werde; Mercurius aber soll ihn mit unvergleichlich-sinnreicher Vernunft begaben, und der unbeständige Mond soll ihm nicht schädlich, sondern nützlich sein, weil er ihm eine unglaubliche Geschwindigkeit einpflanzen wird; die Pallas soll ihn auf dem Parnasso auferziehen, und Vulcanus soll ihm in hora Martis seine Waffen, sonderlich aber ein Schwerd schmieden, mit welchem er die ganze Welt bezwingen und alle Gottlosen niedermachen wird, ohne fernere Hülf eines einigen Menschen, der ihme etwan als ein Soldat beistehen möchte, er soll keines Beistands bedörfen; ein jede große Stadt soll von seiner Gegenwart erzittern, und ein jede Festung, die sonst unüberwindlich ist, wird er in der ersten Viertelstund in seinem Gehorsam haben; zuletzt wird er den größten Potentaten in der Welt befehlen und die Regierung über Meer und Erden so löblich anstellen, daß beides, Götter und Menschen ein Wohlgefallen darob haben sollen.«

Ich sagte: »Wie kann die Niedermachung aller Gottlosen ohne Blutvergießen, und das Kommando über die ganze weite Welt ohne sonderbaren großen Gewalt und starken Arm beschehen und zuwegen gebracht werden? o Jupiter, ich bekenne dir unverhohlen, daß ich diese Ding weniger als ein sterblicher Mensch begreifen kann!« Jupiter antwortet: »Das gibt mich nicht Wunder, weil du nicht weißt, was meines Helden Schwerd vor ein seltene Kraft an sich haben wird; Vulcanus wirds aus denen Materialien verfertigen, daraus er mir meine Donnerkeil macht, und dessen Tugenden dahin richten, daß mein Held, wenn er solches entblößet und nur einen Streich damit in die Luft tut, einer ganzen Armada, wenn sie gleich hinder einem Berg eine ganze Schweizer Meil Wegs weit von ihm stünde, auf einmal die Köpf herunderhauen kann, also daß die arme Teufel ohne Köpf daliegen müssen, ehe sie einmal wissen wie ihnen geschehen! Wenn er denn nun seinem Lauf den Anfang macht und vor eine Stadt oder Festung kommt, so wird er des Tamerlani Manier brauchen, und zum Zeichen, daß er Friedens halber und zu Beförderung aller Wohlfahrt vorhanden seie, ein weißes Fähnlein aufstecken; kommen sie dann zu ihm heraus und bequemen sich, wohl gut; wo nicht, so wird er von Leder ziehen und durch Kraft mehrgedachten Schwerds allen Zauberern und Zauberinnen, so in der ganzen Stadt sein, die Köpf herunderhauen und ein rotes Fähnlein aufstecken; wird sich aber dennoch niemand einstellen, so wird er alle Mörder, Wucherer, Dieb, Schelmen, Ehebrecher, Huren und Buben auf die vorige Manier umbringen, und ein schwarzes Fähnlein sehen lassen; wofern aber nicht so bald diejenige, so noch in der Stadt übrigblieben, zu ihm kommen, und sich demütig einstellen, so wird er die ganze Stadt und ihre Inwohner als ein halsstarrig und ungehorsam Volk ausrotten wollen, wird aber nur diejenige hinrichten, die den andern abgewehrt haben, und ein Ursach gewesen, daß sich das Volk nicht ehe ergeben. Also wird er von einer Stadt zur andern ziehen, einer jeden Stadt ihr Teil Lands um sie her gelegen im Frieden zu regieren übergeben, und von jeder Stadt durch ganz Teutschland zween von den klügsten und gelehrtesten Männern zu sich nemmen, aus denselben ein Parlament machen, die Städt miteinander auf ewig vereinigen, die Leibeigenschaften samt allen Zöllen, Akzisen, Zinsen, Gülten und Umgelten durch ganz Teutschland aufheben, und solche Anstalten machen, daß man von keinem Fronen, Wachen, Kontribuieren, Gelt geben, Kriegen, noch einiger Beschwerung beim Volk mehr wissen, sondern viel seliger als in den Elysischen Feldern leben wird: Alsdann (sagt Jupiter ferner) werde ich oftmals den ganzen Chorum Deorum nemmen und herunder zu den Teutschen steigen, mich unter ihren Weinstöcken und Feigenbäumen zu ergötzen; da werde ich den Helikon mitten in ihre Grenzen setzen und die Musen von neuem darauf pflanzen; ich werde Teutschland höher segnen mit allem Überfluß als das glückselige Arabia, Mesopotamiam und die Gegend um Damasco; die griechische Sprach werde ich alsdenn verschwören und nur Teutsch reden, und mit einem Wort mich so gut teutsch erzeigen, daß ich ihnen auch endlich, wie vor diesem den Römern, die Beherrschung über die ganze Welt zukommen lassen werde.« Ich sagte: »Höchster Jupiter, was werden aber Fürsten und Herrn darzu sagen, wenn sich der künftige Held unterstehet, ihnen das Ihrig so unrechtmäßigerweis abzunehmen und den Städten zu unterwerfen? werden sie sich nicht mit Gewalt widersetzen oder wenigst vor Göttern und Menschen darwider protestieren?« Jupiter antwortet: »Hierum wird sich der Held wenig bekümmern, er wird alle Große in drei Teil unterscheiden und diejenige, so ohnexemplarisch und verrucht leben, gleich den Gemeinen strafen, weil seinem Schwerd kein irdischer Gewalt widerstehen mag; denen übrigen aber wird er die Wahl geben, im Land zu bleiben oder nicht; was bleibt und sein Vatterland liebet, die werden leben müssen wie andere gemeine Leut, aber das Privatleben der Teutschen wird alsdann viel vergnügsamer und glückseliger sein als jetzund das Leben und der Stand eines Königs, und die Teutsche werden alsdenn lauter Fabricii sein, welcher mit dem König Pyrrho sein Königreich nicht teilen wollte, weil er sein Vatterland neben Ehr und Tugend so hoch liebte; und das sein die zweite. Die dritte aber, die Ja-Herrn bleiben und immerzu herrschen wollen, wird er durch Ungarn und Italia in die Moldau, Walachei, in Macedoniam, Thraciam, Gräciam, ja über den Hellespontum in Asiam hineinführen, ihnen dieselbe Länder gewinnen, alle Kriegsgurgeln in ganz Teutschland mitgeben, und sie alldort zu lauter Königen machen; alsdenn wird er Konstantinopel in einem Tag einnehmen und allen Türken, die sich nicht bekehren oder gehorsamen werden, die Köpf vor den Hindern legen; daselbst wird er das Römische Kaisertum wieder aufrichten und sich wieder in Teutschland begeben und mit seinen Parlamentsherren (welche er, wie ich schon gesagt habe, aus allen teutschen Städten paarweis sammlen und die Vorsteher und Vätter seines teutschen Vatterlands nennen wird) eine Stadt mitten in Teutschland bauen, welche viel größer sein wird als Manoah in Amerika, und goldreicher als Jerusalem zu Salomons Zeiten gewesen, deren Wäll sich dem tirolischen Gebürg, und ihre Wassergräben der Breite des Meers zwischen Hispania und Afrika vergleichen soll. Er wird einen Tempel hineinbauen von lauter Diamanten, Rubinen, Smaragden und Saphiren; und in der Kunstkammer, die er aufrichten wird, werden sich alle Raritäten in der ganzen Welt versammlen von den reichen

Geschenken, die ihm die Könige in China, in Persia, der große Mogor in den orientalischen Indien, der große Tartar Cham, Priester Johann in Afrika und der große Zar in der Moskau schicken. Der türkische Kaiser würde sich noch fleißiger einstellen, wofern ihm bemeldter Held sein Kaisertum nicht genommen und solches dem Römischen Kaiser zu Lehen gegeben hätte.«

Ich fragte meinen Jovem, was dann die christlichen Könige bei der Sach tun würden? Er antwortet: »Der in Engeland, Schweden und Dennemark werden, weil sie teutschen Geblüts und Herkommens: der in Hispania, Frankreich und Portugal aber, weil die alte Teutschen selbige Länder hiebevor auch eingenommen und regiert haben, ihre Kronen, Königreich und inkorporierte Länder von der teutschen Nation aus freien Stücken zu Lehen empfahen, und alsdenn wird, wie zu Augusti Zeiten, ein ewiger beständiger Fried zwischen allen Völkern in der ganzen Welt sein.«


## Aus dem V. Kapitel

Springinsfeld beginnt zu spotten, und Jupiter wird unwillig. Simplicius besänftigt ihn, und Jupiter erkennt ihn sogleich als »seinen Ganymed« wieder. Über die wunderbaren Zeiten, die Jupiter meint ankündigen zu müssen, hat Simplicius noch etliche Fragen.


Ich fragte: »Wie wird aber Teutschland bei so unterschiedlichen Religionen ein so langwierigen Frieden haben können? werden so unterschiedliche Pfaffen nicht die Ihrige hetzen und wegen ihres Glaubens wiederum einen Krieg anspinnen?« »O nein!« sagt Jupiter, »mein Held wird dieser Sorg weislich vorkommen und vor allen Dingen alle christliche Religionen in der ganzen Welt miteinander vereinigen.« Ich sagte: »O Wunder, das wäre ein groß Werk! wie müßte das zugehen?« Jupiter antwortet: »Das will ich dir herzlich gern offenbaren: Nachdem mein Held den Universalfrieden der

ganzen Welt verschafft, wird er die geist- und weltliche
Vorsteher und Häupter der christlichen Völker und unterschiedlichen Kirchen mit einer sehr beweglichen Sermon an-
reden und ihnen die bisherige hochschädliche Spaltungen in
den Glaubenssachen trefflich zu Gemüt führen, sie auch
durch hochvernünftige Gründe und unwidertreibliche Argu-
menta dahin bringen, daß sie von sich selbst eine allgemeine
Vereinigung wünschen, und ihme das ganze Werk seiner
hohen Vernunft nach zu dirigiern übergeben werden: Alsdann wird er die allergeistreichste, gelehrteste und frömmste
Theologi von allen Orten und Enden her, aus allen Religionen zusammenbringen und ihnen einen Ort, wie vor diesem
Ptolomäus Philadelphus den 72 Dolmetschen getan, in einer
lustigen und doch stillen Gegend, da man wichtigen Sachen
ungehindert nachsinnen kann, zurichten lassen, sie daselbst
mit Speis und Trank, auch aller anderer Notwendigkeit versehen, und ihnen auflegen, daß sie sobald immer möglich,
und jedoch mit der allerreifsten und fleißigsten Wohlerwä-
gung, die Strittigkeiten, so sich zwischen ihren Religionen
enthalten, erstlich beilegen und nachgehends mit rechter Ein-
helligkeit die rechte, wahre, heilige und christliche Religion,
der H. Schrift, der uralten Tradition und der probierten
H. Vätter Meinung gemäß, schriftlich verfassen sollen: Um
dieselbige Zeit wird sich Pluto gewaltig hindern Ohren krat-
zen, weil er alsdann die Schmälerung seines Reichs besorgen
wird, ja er wird allerlei Fünd und List erdenken, ein Que
dareinzumachen, und die Sach, wo nicht gar zu hindertrei-
ben, jedoch solche ad infinitum oder indefinitum zu bringen,
sich gewaltig bemühen; er wird sich unterstehen, einem jeden
Theologo sein Interesse, seinen Stand, sein geruhig Leben,
sein Weib und Kind, sein Ansehen, und je so etwas, das ihm
seine Opinion zu behaupten einraten möchte, vorzumalen:
Aber mein dapferer Held wird auch nicht feiren; er wird,
solang dieses Concilium währet, in der ganzen Christenheit
alle Glocken läuten und damit das christlich Volk zum Gebet an das höchste Numen ohnablässig anmahnen und um
Sendung des Geistes der Wahrheit bitten lassen: Wenn er

aber merken würde, daß sich einer oder ander von Plutone einnemmen läßt, so wird er die ganze Kongregation, wie in einem Konklave, mit Hunger quälen; und wenn sie noch nicht dran wollen, ein so hohes Werk zu befördern, so wird er ihnen allen vom Henken predigen oder ihnen sein wunderbarlich Schwerd weisen, und sie also erstlich mit Güte, endlich mit Ernst und Bedrohungen dahin bringen, daß sie ad rem schreiten und mit ihren halsstarrigen falschen Meinungen die Welt nicht mehr wie vor alters foppen: Nach erlangter Einigkeit wird er ein groß Jubelfest anstellen und der ganzen Welt diese geläuterte Religion publizieren; und welcher alsdann darwider glaubt, den wird er mit Schwefel und Bech martyrisieren, oder einen solchen Ketzer mit Buchsbaum bestecken und dem Plutone zum Neuen Jahr schenken. Jetzt weißt du, lieber Ganymede, alles was du zu wissen begehrt hast; nun sage mir aber auch, was die Ursach ist, daß du den Himmel verlassen, in welchem du mir so manchen Trunk Nektar eingeschenkt hast?«

### Das VI. bis XVI. Kapitel

Simplicius meint zunächst, Jupiter halte ihn bloß zum Narren und sei, so wie er einstmals, gar nicht der Narr, für den er sich ausgebe. Jupiters Auftreten als Herr der Flöhe beseitigt dann jedoch alle diese Zweifel. – Im ganzen hindert die Anwesenheit des Jupiter-Narren Simplicius jedoch nicht, seine Beutezüge weiter zu unternehmen; er muß sich sogar für längere Zeit an das Zusammenleben mit dem Narren gewöhnen.

Meines Jupiters konnte ich nicht los werden, dann der Kommandant begehrte ihn nicht, weil nichts an ihm zu ropfen war, sondern sagte, er wollte mir ihn schenken; also bekam ich einen eigenen Narrn und dorfte keinen kaufen, wiewohl ich das Jahr zuvor selbst vor einen mich hatte gebrauchen lassen müssen. So wunderlich ist das Glück, und so veränderlich ist die Zeit! Kurz zuvor tribulierten mich die Läus, und jetzt habe ich den Flöhegott in meinem Gewalt; vor einem halben Jahr dienete ich einem schlechten Dragoner vor einen Jungen; nunmehro aber vermochte ich zween Knecht, die mich Herr hießen; es war noch kein Jahr vergangen, daß mir die Buben nachlieffen, mich zur Hur zu machen, jetzt wars an dem, daß die Mägdlein selbst aus Liebe sich gegen mir vernarrten: Also wurde ich beizeiten gewahr, daß nichts Beständigers in der Welt ist, als die Unbeständigkeit selbsten. Dahero mußte ich sorgen, wann das Glück einmal seine Mucken gegen mich auslasse, daß es mir meine jetzige Wohlfahrt gewaltig einträncken würde. [...]

Simplicius wird durch seine Erfolge eitel: »Meine Hoffart vermehrte sich mit meinem Glück, daraus endlich nichts anderes als mein Fall erfolgen konnte.« – Auf einen Streit folgt ein Duell, aus dem Simplicius zwar als Sieger hervorgeht, für das er aber sofort gefangengesetzt wird »weil alle Duell bei Leib- und Lebensstraff verbotten« sind.

Als er während der Gefangenschaft durch eine von ihm ersonnene List eine belagerte Stadt erobern hilft, wird er wieder freigelassen; dazu wird ihm versprochen, er werde den Befehl über das nächste freiwerdende Fähnlein erhalten.

Bald darauf findet er einen verborgenen Schatz. Jetzt kreisen seine Gedanken nur noch darum, wie er die Kostbarkeiten vor den Neidern in Sicherheit bringen könne. Schließlich schafft er den Schatz nach Köln und gibt ihn gegen eine »spezifizierte Handschrift« bei einem Kaufmann in Verwahrung. Seinen Jupiter bringt er bei der Gelegenheit zu dessen Kölner Verwandten.

Auf der Rückreise werden Simplicius und seine Begleiter überfallen und geraten in schwedische Gefangenschaft. Als er sich als der »Jäger von Soest« zu erkennen gibt, geht man dort sehr nobel mit ihm um. Da er durch kaiserlichen Fahneneid gebunden ist, lehnt er das Angebot der Schweden, auf ihrer Seite zu kämpfen, ab. Er verpflichtet sich, sechs Monate keine Waffen zu tragen und bekommt dafür die Erlaubnis, sich innerhalb der Festung Lippstadt frei zu bewegen. Einmal während dieser Zeit beginnt er auch, über seine eigene Narrheit und die der Welt nachzudenken.

Ich glaube, es sei kein Mensch in der Welt, der nicht einen Hasen im Busem habe, dann wir sind ja alle einerlei Gemächts, und kann ich bei meinen Birn wohl merken, wenn andere zeitig sein. »Hui Geck«, möchte mir einer antworten, »wann du ein Narr bist, meinst du darum, andere seiens auch?« Nein, das sag ich nicht, denn es wäre zu viel geredt; aber dies halte ich darvor, daß einer den Narrn besser verbirgt als der ander: Es ist einer drum kein Narr, wenn er schon närrische Einfäll hat, dann wir haben in der Jugend gemeiniglich alle dergleichen; welcher aber solche herausläßt, wird vor einen gehalten, weil teils ihn gar nicht, andere aber nur halb sehen lassen: Welche ihren gar unterdrücken, sein rechte Saurtöpf; die aber den ihrigen nach Gelegenheit der Zeit bisweilen ein wenig mit den Ohren herfürgucken und Atem schöpfen lassen, damit er nicht gar bei ihnen ersticke, dieselbige halte ich vor die beste und verständigste Leut. Ich ließe den meinen nur zu weit heraus, da ich mich in einem so freien Stand sahe und noch Geld wußte, maßen ich einen Jungen annahme, den ich als einen Edelpage kleidete, und zwar in die närrischte Farben, nämlich veielbraun und gelb ausgemacht, so meine Liberei sein mußte, weil mirs so gefiel; derselbe mußte mir aufwarten, als wenn ich ein Freiherr, und kurz zuvor kein Dragoner oder vor einem halben Jahr ein armer Roßbub gewesen wäre.

Dies war die erste Torheit, so ich in dieser Stadt begieng, welche, ob sie gleich ziemlich groß war, wurde sie doch von niemand gemerkt, viel weniger getadelt: Aber was machts? die Welt ist der so voll, daß sie keiner mehr acht, noch selbige verlacht oder sich drüber verwundert, weil sie deren gewohnt ist; so hatte ich auch den Ruf eines klugen und guten Soldaten, und nicht eines Narrn, der die Kinderschuh noch trägt. [...]

Schließlich darf er sich auch außerhalb der Festung bewegen, und er benützt diese Gelegenheit, um sein restliches, in einigen hohlen Bäumen bei Soest verstecktes Vermögen zusammenzuholen.

## Das XVIII. und XIX. Kapitel

Nun beginnt Simplicius ein nicht eben christliches Leben, wobei ihm sein Geld alle Tore öffnet. Gleichwohl tut er etwas für seine Bildung: Er liest und übt sich im Lautenspiel und im Gesang. Der Pfarrer der Stadt hilft ihm dabei mit Büchern aus. So kommt Simplicius mit diesem zuweilen über die verschiedensten Dinge ins Gespräch. Dabei geht es nicht ohne Ermahnungen des Pfarrers wegen des Lebenswandels ab. Diese Ermahnungen veranlassen Simplicius jedoch zu allerlei Überlegungen ganz eigener Art.

## Das XX. Kapitel

Ich war in den Wollüsten doch nicht so gar ersoffen oder so dumm, daß ich nicht gedacht hätte, jedermanns Freundschaft zu behalten, solang ich noch in derselbigen Festung zu verbleiben (nämlich bis der Winter vorüber) willens war; so erkannte ich auch wohl, was es einen vor Unrat bringen könnte, wann er der Geistlichen Haß hätte, als welche Leut bei allen Völkern, sie seien gleich was Religion sie wollen, einen großen Kredit haben; derowegen nahm ich meinen Kopf zwischen die Ohren und tratte gleich den andern Tag wieder auf frischem Fuß zu obgedachtem Pfarrer, und loge ihm mit gelehrten Worten ein solchen zierlichen Haufen daher, was gestalten ich mich resolviert hätte, ihm zu folgen, daß er sich, wie ich aus seinen Gebärden sehen konnte, herzlich darüber erfreute; »ja«, sagte ich, »es hat mir seithero, auch schon in Soest, nichts anders als ein solcher englischer Ratgeber gemangelt, wie ich einen an meinem hochgeehrten Herrn angetroffen habe; wann nur der Winter bald vorüber, oder sonst das Wetter bequem wäre, daß ich fortreisen könnte«, bate ihn darneben, er wollte mir doch ferner mit gutem Rat beförderlich sein, auf welche Academiam ich mich begeben sollte? Er antwortet, was ihn anbelangt, so hätte er zu Leyden studiert, mir aber wollte er nach Genf geraten haben, weil ich der Aussprach nach ein Hochteutscher wäre.

»Jesus Maria!« antwortet ich, »Genf ist weiter von meinem Heimat, als Leyden.« »Was vernehme ich?« sagte er hierauf mit großer Bestürzung, »ich höre wohl, der Herr ist ein Papist, O mein Gott, wie finde ich mich betrogen!« »Wieso, wieso Herr Pfarrer?« sagte ich, »muß ich darum ein Papist sein, weil ich nicht nach Genf will?« »O nein«, sagte er, »sondern daran höre ichs, weil Ihr die Mariam anrufet.« Ich sagte: »Sollte denn einem Christen nit gebühren, die Mutter seines Erlösers zu nennen?« »Das wohl«, antwortet er, »aber ich ermahne und bitte Ihn so hoch als ich kann, Er wolle Gott die Ehr geben, und mir gestehen, welcher Religion Er beigetan seie? denn ich zweifle sehr, daß Er dem Evangelio glaube (ob ich ihn zwar alle Sonntag in meiner Kirchen gesehen), weil Er das verwichene Fest der Geburt Christi weder bei uns noch den Lutherischen zum Tisch des Herrn gangen!« Ich antwortet: »Der Herr Pfarrer hört ja wohl, daß ich ein Christ bin, und wann ich keiner wäre, so würde ich mich nicht so oft in der Predigt haben eingefunden; im übrigen aber gestehe ich, daß ich weder Petrisch noch Paulisch bin, sondern allein simpliciter glaube, was die zwölf Artikul des allgemeinen Heiligen Christlichen Glaubens in sich halten, werde mich auch zu keinem Teil vollkommen verpflichten, bis mich ein oder ander durch genugsame Erweisungen persuadiert zu glauben, daß es vor den andern die rechte wahre und allein seligmachende Religion habe.« »Jetzt«, sagte er, »glaube ich erst recht, daß Er ein kühnes Soldatenherz habe, sein Leben dapfer dran zu wagen, weil Er gleichsam ohne Religion und Gottesdienst auf den Alten Kaiser hinein dahinleben und so frevelhaftig seine Seligkeit in die Schanz schlagen darf! Mein Gott, wie kann aber ein sterblicher Mensch, der entweder verdammt oder selig werden muß, immermehr so keck sein? Ist der Herr in Hanau erzogen und nit anders im Christentum unterrichtet worden? Er sage mir doch, warum Er seiner Eltern Fußstapfen in der reinen christlichen Religion nicht nachfolget? Oder warum Er sich ebensowenig zu dieser, als zu einer andern begeben will, deren Fundamenta sowohl in der Natur als H. Schrift doch so sonnenklar am Tag liegen, daß sie auch in Ewigkeit weder Papist noch Lutheraner nimmermehr wird umstoßen können?« Ich antwortet: »Herr Pfarrer, das sagen auch alle andere von ihrer Religion; welchem soll ich aber glauben? vermeint der Herr wohl, es sei so ein Geringes, wenn ich einem Teil, den die andern zwei lästern und einer falschen Lehr bezüchtigen, meiner Seelen Seligkeit vertraue? Er sehe doch (aber mit meinen unparteischen Augen), was Conrad Vetter und Johannes Naß wider Lutherum, und hingegen Luther und die Seinige wider den Pabst, sonderlich aber Spangenberg wider Franziskum, der etlich hundert Jahr vor einen heiligen und gottseligen Mann gehalten worden, in offenen Druck ausgehen lassen; zu welchem Teil soll ich mich dann tun, wann je eins das ander ausschreiet, es sei kein gut Haar an ihm! vermeint der Herr Pfarrer, ich tue unrecht, wenn ich einhalte, bis ich meinen Verstand völliger bekomme und weiß was schwarz oder weiß ist? Sollte mir wohl jemand raten, hineinzuplumpen, wie die Fliege in ein heißen Brei? O nein, das wird der Herr Pfarrer verhoffentlich mit gutem Gewissen nicht tun können; es muß ohnumgänglich eine Religion recht haben, und die andern beide unrecht; sollte ich mich nun zu einer ohne reiflichen Vorbedacht bekennen, so könnte ich ebensobald ein unrechte als die rechte erwischen, so mich hernach in Ewigkeit reuen würde; ich will lieber gar von der Straß bleiben, als nur irrlaufen; zudem seind noch mehr Religionen denn nur die in Europa, als die Armenier, Abyssiner, Griechen, Georgianer und dergleichen, und Gott geb was ich vor eine davon annehme, so muß ich mit meinen Religionsgenossen den andern allen widersprechen. Wird nun der Herr Pfarrer mein Ananias sein, so will ich ihm mit großer Dankbarkeit folgen, und die Religion annehmen, die er selbst bekennt.«

Darauf sagte er: »Der Herr steckt in großem Irrtum, aber ich hoffe zu Gott, er werde ihn erleuchten, und aus dem Schlamm helfen; zu welchem End ich ihm dann unsere Konfession inskünftig dergestalt aus H. Schrift bewähren will, daß sie auch wider die Pforten der Höllen bestehen solle.«

Ich antwortet, dessen würde ich mit großem Verlangen gewärtig sein, gedachte aber bei mir selber: Wenn du mir nur nichts mehr von meinen Liebgern vorhältst, so bin ich mit deinem Glauben wohl zufrieden. Hierbei kann der Leser abnehmen, was ich damals vor ein gottloser böser Bub gewesen, dann ich machte dem guten Pfarrer deswegen vergebliche Mühe, damit er mich in meinem ruchlosen Leben ungehindert ließe, und gedachte: Bis du mit deinen Beweistumen fertig bist, so bin ich vielleicht wo der Pfeffer wächst.

## *Aus dem XXI. Kapitel*

Es dauert gar nicht lange, so ist Simplicius in allerlei Liebesverhältnisse verstrickt. Das geht so eine Weile, bis es ihm die Tochter eines benachbarten Obristen angetan hat, und er sich sehr um sie müht.

Es ist ohnnötig, alle Torheiten meiner Leffelei umständlich zu erzählen, weil dergleichen Possen ohnedas alle Liebesschriften voll sein. Genug ists, wenn der günstige Leser weiß, daß es zuletzt dahin kam, daß ich erstlich mein liebes Dingelgen zu küssen, und endlich auch andere Narrnpossen zu tun mich erkühnen dorfte; solchen erwünschten Fortgang verfolgte ich mit allerhand Reizungen, bis ich bei Nacht von meiner Liebsten eingelassen wurde und mich so hübsch zu ihr ins Bett fügte, als wenn ich zu ihr gehört hätte. Weil jedermann weiß, wie es bei dergleichen Kürben pfleget gemeiniglich herzugehen, so dörfte sich wohl der Leser einbilden, ich hätte etwas Ungebührliches begangen: Jawohl nein! dann alle meine Gedanken waren umsonst, ich fand einen solchen Widerstand, dergleichen ich mir nimmermehr bei keinem Weibsbild anzutreffen gedenken können, weil ihr Absehen einig und allein auf Ehr und den Ehestand gegründet war, und wenn ich ihr solchen gleich mit den allergrausamsten Flüchen versprach, so wollte sie jedoch vor der ehelichen Kopulation kurzum nichts geschehen lassen, doch gönnete sie mir, auf ihrem Bett neben ihr liegen zu bleiben, auf welchem ich auch ganz ermüdet vor Unmut sanft einschlummerte. Ich wurde aber gar ungestümm aufgeweckt; dann morgens um vier Uhr stund der Obristleutenant vorm Bett, mit einer Pistol in der einen und einer Fackel in der andern Hand. »Krabat«, schriee er überlaut seinem Diener zu, der auch mit einem bloßen Säbel neben ihm stunde, »geschwind Krabat, hole den Pfaffen!« Worvon ich dann erwachte und sahe, in was vor einer Gefahr ich mich befande. »O wehe«, gedacht ich, »du sollest gewiß zuvor beichten, ehe er dir den Rest gibt!« Es wurde mir ganz grün und gelb vor den Augen, und wußte nicht, ob ich sie recht auftun sollte oder nit? »Du leichtfertiger Gesell«, sagte er zu mir, »soll ich dich finden, daß du mein Haus schändest? tät ich dir unrecht, wenn ich dir und dieser Vettel, die deine Hur worden ist, den Hals bräche? Ach du Bestia, wie kann ich mich doch nur enthalten, daß ich dir nit das Herz aus dem Leib herausreiße und zu kleinen Stücken zerhackt den Hunden darwerfe?« damit bisse er die Zähn übereinander, und verkehrte die Augen, als ein unsinnig Tier. Ich wußte nicht was ich sollte, und meine Beischläferin konnte nichts als weinen; endlich da ich mich ein wenig erholete, wollte ich etwas von unserer Unschuld vorbringen, er aber hieße mich das Maul halten, indem er wieder auf ein neues anfienge, mir aufzurucken, daß er mir viel ein anders vertraut, ich aber hingegen ihn mit der allergrößten Untreu von der Welt gemeint hätte: Indessen kam seine Frau auch darzu, die fieng eine nagelneue Predigt an, also daß ich wünschte, ich läge irgends in einer Dornhecken; ich glaub auch, sie hätte in zweien Stunden nicht aufgehört, wenn der Krabat mit dem Pfarrer nicht kommen wäre.

Ehe dieser ankam, unterstund ich etlichmal aufzustehen, aber der Obristleutenant machte mich mit bedrohlichen Mienen liegen bleibend, also daß ich erfahren mußte, wie gar keine Courage ein Kerl hat, der auf einer bösen Tat erdappt wird, und wie einem Dieb ums Herz ist, den man erwischt, wenn er eingebrochen, ob er gleich noch nichts gestohlen hat;

ich gedenk der lieben Zeit, wenn mir der Obristleutenant
samt zwei solchen Kroaten aufgestoßen wäre, daß ich sie alle
drei zu jagen unterstanden, aber jetzt lag ich da wie ein
ander Bärnhäuter und hatte nicht das Herz, nur das Maul,
geschweig die Fäust, recht aufzutun. »Seht, Herr Pfarrer«,
sagte er, »das schöne Spektakul, zu welchem ich Euch zum
Zeugen meiner Schand berufen muß!« und kaum hatte er
diese Wort ordentlich vorgebracht, da fieng er wieder an zu
wüten, und das Tausend ins Hundert zu werfen, daß ich
nichts anders als vom Halsbrechen, und Händ in Blut
wäschen verstehen konnte; er schaumte ums Maul wie ein
Eber und stellte sich nicht anders, als ob er gar von Sinnen
kommen wollte, also daß ich alle Augenblick gedachte: jetzt
jagt er dir eine Kugel durch den Kopf! Der Pfarrer aber
wehrte mit Händen und Füßen, daß nichts Tödliches ge-
schähe, so ihn hernach reuen möchte. »Was?« sagte er, »Herr
Obristleutenant, braucht Euer hohe Vernunft und bedenkt
das Sprüchwort, daß man zu geschehenen Dingen das Beste
reden soll; dies schöne Paar, das seinesgleichen schwerlich im
Land hat, ist nicht das erste und auch nicht das letzte, so sich
von den unüberwindlichen Kräften der Liebe meistern lassen; dieser Fehler, den sie beide begangen, kann auch durch
sie, da es anders ein Fehler zu nennen, wieder leichtlich gebessert werden; zwar lobe ichs nit, sich auf diese Art zu ver-
ehelichen, aber gleichwohl hat dieses junge Paar hierdurch
weder Galgen noch Rad verdient, der Herr Obristleutenant
auch keine Schand darvon zu gewarten, wenn er nur diesen
Fehler (der ohnedas noch niemand bewußt) heimlich halten
und verzeihen, seine Konsens zu beider Verehelichung geben
und diese Ehe durch den gewöhnlichen Kirchgang offentlich
bestätigen lassen wird.« »Was?« antwortet er, »sollte ich
ihnen anstatt billicher Straff erst noch hofieren und große
Ehr antun? ich wollte sie ehe morgenden Tags beide zu-
sammenbinden und in der Lipp ertränken lassen! Ihr müßt
mir sie in diesem Augenblick kopulieren, maßen ich Euch deswegen holen lassen, oder ich will sie alle beide wie die Hühner erwürgen.«

Ich gedachte: »Was wilt du tun, es heißt: ›Vogel friß oder stirb‹; zudem so ist es eine solche Jungfer, deren du dich nicht schämen darfst, ja wenn du dein Herkommen bedenkest, so bist du kaum wert hinzusitzen, wo sie ihre Schuh hinstellt«; doch schwur ich und bezeugte hoch und teur, daß wir nichts Unehrlichs miteinander zu schaffen gehabt hätten; aber mir wurde geantwortet, wir sollten uns gehalten haben, daß man nichts Böses von uns argwohnen können, diesen Weg aber würden wir dem einmal gefaßten Verdacht niemand benehmen. Hierauf wurden wir von gemeldtem Pfarrer im Bett sitzend zusammgegeben, und nachdem solches geschehen, aufzustehen, und miteinander aus dem Haus zu gehen gemüßiget. Unter der Tür sagte der Obristleutenant zu mir und seiner Tochter, wir sollten sich in Ewigkeit vor seinen Augen nicht mehr sehen lassen. Ich aber, als ich mich wieder erholt und den Degen auch an der Seiten hatte, antwortet gleichsam im Scherz: »Ich weiß nicht, Herr Schwährvatter, warum Er alles so widersinns anstellt: wenn andere neue Eheleut kopuliert werden, so führen sie die nächste Verwandte schlafen, Er aber jagt mich nach der Kopulation nit allein aus dem Bett, sondern auch gar aus dem Haus, und anstatt des Glücks, das er mir in Ehestand wünschen sollte, will Er mich nicht so glückselig wissen, meines Schwähers Angesicht zu sehen und ihm zu dienen; wahrlich, wenn dieser Brauch aufkommen sollte, so würden die Verehelichungen wenig Freundschaft mehr in der Welt stiften.«

## Das XXII. bis XXIV. Kapitel

Simplicius richtet nun ein Hochzeitsessen aus und versöhnt sich bei dieser Gelegenheit wieder mit seinem Schwiegervater. Der Kommandant der schwedischen Truppe trägt dem jungen Ehemann, sozusagen als Geschenk, den Befehl über ein Fähnlein an. Simplicius willigt dieses Mal in das Angebot ein, bedingt sich jedoch aus, vorher seinen Schatz aus Köln holen zu dürfen, da er diesen als schwedischer Soldat ganz bestimmt nicht mehr zurückerhalten werde.

So macht er sich auf den Weg nach Köln. Dort wird er bös enttäuscht: Der Kaufmann, dem er den Schatz anvertraut hat, ist bankrott und hat bereits das Weite gesucht. Jetzt wird aus der ganzen Sache ein Rechtsfall, der viel Zeit brauchen wird und Simplicius in Köln zum Warten verurteilt.

## VIERTES BUCH

## Das I. bis IV. Kapitel

Bei dem Aufenthalt in Köln lernt Simplicius zwei junge Adlige kennen, die im Begriff sind, zum Sprachstudium nach Paris zu gehen. Kurzentschlossen übergibt Simplicius die Vermögensangelegenheiten seinem Rechtsanwalt und begleitet die beiden. Als er in Paris durch unglückliche Umstände plötzlich ohne Geld dasteht, nimmt er bei einem Arzt die Hauslehrerstelle im Lautenspiel an; bei diesem Arzt lernt er auch einiges von der Quacksalberei.
Bald wird er wegen seiner Spiel- und Gesangskunst bekannt und darf sogar bei Hofe auftreten. Er erlangt die Zuneigung der höfischen Gesellschaft, und besonders die Damen nennen ihn »Beau Alman«.
Eines Tages wird er durch einen Brief aufgefordert, sich wegen Erteilung von Privatunterricht vorzustellen. Als er meint, bei dem Absender des Briefes zu sein, teilt ihm eine alte deutschsprechende Bedienstete mit, daß eine Dame der Gesellschaft nach ihm verlange, um »seine Schönheit genugsam betrachten« zu können. Simplicius fühlt sich hintergangen, doch willigt er schließlich ein, mit verbundenen Augen zu jener Dame zu gehen. Als ihm die Binde abgenommen wird, befindet er sich in einem Saal,

der da überaus zierlich aufgebutzet war; die Wände waren mit schönen Gemälden, das Trysur mit Silbergeschirr, und das Bett so darinnen stunde, mit Umhängen von güldenen Stücken geziert; in der Mitten stunde der Tisch prächtig gedeckt, und bei dem Feur befande sich eine Badwanne, die wohl hübsch war, aber meinem Bedunken nach schändet sie den ganzen Saal; die Alte sagte zu mir: »Nun willkomm Herr Landsmann, kann Er noch sagen, daß man Ihn mit Verräterei hindergehe? Er lege nur allen Unmut ab und erzeige sich wie neulich auf dem Theatro, da Er Seine Euridicen wieder vom Plutone erhielte; ich versichere Ihn, Er wird hier eine schönere antreffen, als er dort eine verloren.«

Ich hörte schon an diesen Worten, daß ich mich nicht nur an
diesem Ort beschauen lassen, sondern noch gar was anders
tun sollte; sagte derowegen zu meiner alten Landsmännin:
Es wäre einem Durstigen wenig damit geholfen, wenn er bei
einem verbottenen Brunnen säße; sie aber sagte, man sei in
Frankreich nit so mißgönstig, daß man einem das Wasser
verbiete, sonderlich wo dessen ein Überfluß seie. »Ja«, sagte
ich, »Madame, Sie sagt mir wohl darvon, wenn ich nicht
schon verheuratet wäre!« »Das sind Possen« (antwortet das
gottlose Weib) »man wird Euch solches heunt nacht nit glauben, dann die verehelichte Cavallier ziehen selten in Frankreich; und ob gleich dem so wäre, kann ich doch nit glauben,
daß der Herr so alber sei, eher Durst zu sterben, als aus
einem fremden Brunnen zu trinken, sonderlich wann er vielleicht lustiger ist, und besser Wasser hat, als sein eigener.«
Dies war unser Diskurs, dieweil mir ein adeliche Jungfer, so
dem Feuer pflegte, Schuh und Strümpf auszoge, die ich überall im Finstern besudelt hatte, wie dann Paris ohnedas eine
sehr kotige Stadt ist. Gleich hierauf kam Befehl, daß man
mich noch vor dem Essen baden sollte, dann bemeldtes Jungfräulein gieng ab und zu, und brachte das Badgezeug, so
alles nach Bisam und wohlrüchender Seifen roche. Das Lei-
nengerät war vom reinesten Cammertuch und mit teuren
holländischen Spitzen besetzt; ich wollte mich schämen und
vor der Alten nicht nackend sehen lassen, aber es half nichts,
ich mußte dran und mich von ihr ausreiben lassen; das Jung-
fergen aber mußte ein Weil abtretten; nach dem Bad wurde
mir ein zartes Hemd gegeben und ein köstlicher Schlafbelz
von veielblauem Daffet angelegt, samt einem Paar seidener
Strümpfe von gleicher Farb; so war die Schlafhaub samt den
Pantoffeln mit Gold und Perlen gestickt, also daß ich nach
dem Bad dort saße zu protzen, wie der Herzkönig. Indessen
mir nun meine Alte das Haar trücknet und kämpelt, dann
sie pflegte meiner wie einem Fürsten oder kleinen Kinde,
trug mehrgemeldtes Jungfräulein die Speisen auf, und nach-

dem der Tisch überstellt war, tratten drei heroische junge
Damen in den Saal, welche ihre alabasterweiße Brüste zwar
ziemlich weit entblößt trugen, vor den Angesichtern aber
ganz vermaskiert; sie dünkten mich alle drei vortrefflich
schön zu sein, aber doch war eine viel schöner als die ander;
ich machte ihnen ganz stillschweigend einen tiefen Bückling,
und sie bedankten sich gegen mir mit gleichen Zeremonien,
welches natürlich sahe, als ob etliche Stummen beieinander
gewesen, so die Redende agiert hätten; sie setzten sich alle
drei zugleich nieder, daß ich also nit erraten konnte, welche
die vornehmste unter ihnen gewesen, viel weniger welcher
ich zu dienen da war; die erste Red war, ob ich nit Französisch könnte? Meine Landsmännin sagte: Nein. Hierauf ver-
setzte die ander: Sie sollte mir sagen, ich wollte belieben
niederzusitzen; als solches geschehen, befohl die dritte meiner Dolmetschin, sie sollte sich auch setzen: Woraus ich
abermal nicht abnehmen mögen, welche die vornehmste
unter ihnen war. Ich saße neben der Alten gerad gegen diesen dreien Damen über, und ist demnach meine Schönheit
ohn Zweifel neben einem so alten Geribb desto besser her-
vorgeschienen. Sie blickten mich alle drei sehr andächtig an,
und ich dörfte schwören, daß sie viel hundert Seufzen gehen
ließen: Ihre Augen konnte ich nit sehen funklen wegen der
Masken, die sie vor sich hatten. Meine Alte fragte mich
(sonst konnte niemand mit mir reden), welche ich unter diesen dreien vor die schönste hielte? Ich antwortet, daß ich
keine Wahl darunter sehen könnte; hierüber fieng sie an zu
lachen, daß man ihr alle vier Zähn sahe, die sie noch im
Maul hatte, und fragte: »Warum das?« Ich antwortet, weil
ich sie nit recht sehen könnte; doch soviel ich sähe, wären sie
alle drei nit häßlich. Dieses, was die Alte gefragt und ich
geantwort, wollten die Damen wissen; mein Alte verdol-
metschte es, und log noch darzu, ich hätte gesagt, einer jeden
Mund wäre hunderttausendmal küssenswert! denn ich konnte
ihnen die Mäuler unter den Masken wohl sehen, sonderlich
deren, so gerad gegen mir über saße. Mit diesem Fuchsschwanz machte die Alte, daß ich dieselbe vor die vornehm-

ste hielte und sie auch desto eiferiger betrachtete. Dies war all unser Diskurs über Tisch, und ich stellte mich, als ob ich kein französisch Wort verstünde. Weil es dann so still herging, machten wir desto ehe Feirabend: Darauf wünschten mir die Damen eine gute Nacht und giengen ihres Wegs, denen ich das Geleit nit weiter, als bis an die Tür geben dörfte, so die Alte gleich nach ihnen zuriegelte. Da ich das sahe, fragte ich, wo ich dann schlafen müßte? Sie antwortet, ich müßte bei ihr in gegenwärtigem Bett vorliebnehmen. Ich sagte, das Bett wäre gut genug, wenn nur auch eine von jenen dreien darin läge! »Ja«, sagte die Alte, »es wird Euch fürwahr heunt keine von ihnen zuteil.« Indem wir so plauderten, zog eine schöne Dam, die im Bett lag, den Umhang etwas zurück und sagte zu der Alten, sie sollte aufhören zu schwätzen, und schlafen gehen! Darauf nahm ich ihr das Liecht und wollte sehen, wer im Bett läge? Sie aber leschte solches aɩs und sagte: »Herr, wenn Ihm Sein Kopf lieb ist, so unterstehe Er sich dessen nit, was Er im Sinn hat; Er lege sich, und sei versichert, da Er mit Ernst sich bemühen wird, diese Dame wider ihren Willen zu sehen, daß Er nimmermehr lebendig von hinnen kommt!« Damit gieng sie durch, und beschloß die Tür; die Jungfer aber, so dem Feuer gewartet, lescht das auch vollend aus und gieng hinder einer Tapezerei, durch ein verborgene Tür, auch hinweg. Hierauf sagte die Dame, so im Bett lag: »Alle Monsieur Beau Alman, gee schlaff mein Herz, gom, rick su mir!« So viel hatte sie die Alte Teutsch gelernt; ich begab mich zum Bett, zu sehen, wie dann dem Ding zu tun sein möchte? und sobald ich hinzukam, fiel sie mir um den Hals, bewillkommte mich mit vielem Küssen, und bisse mir vor hitziger Begierde schier die unter Lefzen herab; ja sie fieng an meinen Schlafbelz aufzuknöpfeln und das Hemd gleichsam zu zerreißen, zog mich also zu ihr, und stellte sich vor unsinniger Liebe also an, daß nicht auszusagen. Sie konnte nichts anders Teutsch, als *Rick su mir mein Herz!* das übrige gab sie sonst mit Gebärden zu verstehen. Ich gedachte zwar heim an meine Liebste, aber was halfs, ich war leider ein Mensch, und fand ein solche wohlproportionierte Kreatur, und zwar von solcher Lieblichkeit, daß ich wohl ein Ploch hätte sein müssen, wenn ich keusch hätte darvonkommen sollen.

Dergestalt bracht ich acht Täg und so viel Nächt an diesem Ort zu, und ich glaube, daß die andern drei auch bei mir gelegen seien, dann sie redeten nicht alle wie die erste, und stellten sich auch nicht so närrisch. Wiewohl ich nun acht ganzer Tage bei diesen vier Damen war, so kann ich doch nit sagen, daß mir zugelassen worden, ein einige anders als durch eine Florhauben, oder es sei denn finster gewesen, im bloßen Angesicht zu beschauen. Nach geendigter Zeit der acht Tag setzt man mich im Hof, mit verbundenen Augen, in eine zugemachte Gutsche zu meiner Alten, die mir unterwegs die Augen wieder aufbande, und führte mich in meines Herrn Hof; alsdann fuhr die Gutsche wieder schnell hinweg. Meine Verehrung war 200 Pistolet, und da ich die Alte fragte, ob ich niemand kein Trinkgeld darvon geben sollte? sagte sie: »Beileib nicht, dann wann Ihr solches tätet, so würde es die Dames verdrießen; ja sie würden gedenken, Ihr bildet Euch ein, Ihr wäret in einem Hurenhaus gewesen, da man alles belohnen muß.« Nachgehends bekam ich noch mehr dergleichen Kunden, welche mirs so grob machten, daß ich endlich aus Unvermögen der Narrenpossen ganz überdrüssig wurde.


## Das VI. Kapitel

Auf diese Weise kommt Simplicius zu Geld; er zögert daher nicht, sich schnell nach Deutschland aufzumachen, zumal, da Briefe ihm günstige Aussichten auf die versprochene Kommandostelle in Lippstadt eröffnen.

Schon nach zwei Tagen Reise wird er krank, er bekommt die Kindsblattern und muß, da er zu allem Unglück auch noch bestohlen wird, seine übrige Habe verkaufen, um die Krankheit auskurieren zu können.

*Das VII. Kapitel*

Womit einer sündiget, darmit pflegt einer auch gestraft zu werden; diese Kindsblattern richteten mich dergestalt zu, daß ich hinfüro vor den Weibsbildern gute Ruhe hatte; ich kriegte Gruben im Gesicht, daß ich aussahe wie ein Scheurdenne, darin man Erbsen gedroschen, ja ich wurde so häßlich, daß sich meine schöne krause Haar, in welchem sich so manch Weibsbild verstrickt, meiner schämten und ihre Heimat verließen; an deren Statt bekam ich andere, die sich den Säuborsten vergleichen ließen, daß ich also notwendig eine Barücke tragen mußte; und gleichwie auswendig an der Haut keine Zierd mehr übrigbliebe, also gieng meine liebliche Stimm auch dahin, dann ich den Hals voller Blattern gehabt; meine Augen, die man hiebevor niemal ohne Liebesfeur finden können, eine jede zu entzünden, sahen jetzt so rot und triefend aus, wie eines achtzigjährigen Weibs, das den Cornelium hat. Und über das alles so war ich in fremden Landen, kannte weder Hund noch Menschen, ders treulich mit mir meinte, verstund die Sprach nicht, und hatte allbereit kein Geld mehr übrig.

Da fieng ich erst an, hindersich zu gedenken und die herrliche Gelegenheiten zu bejammern, die mir hiebevor zu Beförderung meiner Wohlfahrt angestanden, ich aber so liederlich hatte verstreichen lassen; ich sahe erst zurück und merkte, daß mein extraordinari Glück im Krieg und mein gefundener Schatz nichts anders als eine Ursach und Vorbereitung zu meinem Unglück gewesen, welches mich nimmermehr so weit hinunder hätte werfen können, da es mich nit zuvor durch falsche Blick angeschaut, und so hoch erhaben hätte; ja ich fande, daß dasjenige Gute, so mir begegnet und ich vor gut gehalten, bös gewesen, und mich in das äußerste Verderben geleitet hatte; da war kein Einsiedel mehr, ders treulich mit mir gemeint, kein Obrist Ramsay, der mich in meinem Elend aufgenommen, kein Pfarrer, der mir das Beste geraten, und in Summa kein einiger Mensch,

100

der mir etwas zugut getan hätte; sondern da mein Geld hin war, hieß es, ich sollte auch fort und meine Gelegenheit anderswo suchen, und hätte ich wie der verlorne Sohn mit den Säuen vorliebnemmen sollen. Damals gedacht ich erst an desjenigen Pfarrherrn guten Rat, der da vermeinte, ich sollte meine Mittel und Jugend zu den Studiis anwenden; aber es war viel zu spät mit der Scher, dem Vogel die Flügel zu beschneiden, weil er schon entflogen; o schnelle und unglückselige Veränderung! vor vier Wochen war ich ein Kerl, der die Fürsten zur Verwunderung bewegte, das Frauenzimmer entzückte, und dem Volk als ein Meisterstück der Natur, ja wie ein Engel vorkam, jetzt aber so ohnwert, daß mich die Hund anpißten. Ich machte wohl tausend und aber tausenderlei Gedanken, was ich angreifen wollte, dann der Wirt stieß mich aus dem Haus, da ich nichts mehr bezahlen konnte; ich hätte mich gern unterhalten lassen, es wollte mich aber kein Werber vor einen Soldaten annehmen, weil ich als ein grindiger Guckuck aussahe; arbeiten konnte ich nit, denn ich war noch zu matt, und überdas noch keiner gewohnt. Nichts tröstete mich mehr, als daß es gegen dem Sommer gieng und ich mich zur Not hinder einer Hecken behelfen konnte, weil mich niemand mehr im Haus wollte leiden. Ich hatte mein stattlich Kleid noch, das ich mir auf die Reis machen lassen, samt einem Felleisen voll kostbar Leinengezeug, das mir aber niemand abkaufen wollte, weil jeder sorgte, ich möchte ihm auch eine Krankheit damit an Hals henken. Solches nahm ich auf den Buckel, den Degen in die Hand, und den Weg unter die Füß, der mich in ein klein Städtlein trug, so gleichwohl ein eigene Apotheck vermochte; in dieselbe gieng ich, und ließ mir eine Salbe zurichten, die mir die Urschlechtenmäler im Gesicht vertreiben sollten, und weil ich kein Geld hatte, gab ich dem Apothekergesellen ein schön zart Hemd davor, der nit so eckel war, wie andere Narren, so keine Kleider von mir haben wollten. Ich gedachte, wenn du nur der schandlichen Flecken los wirst, so wird sichs schon auch wieder mit deinem Elend bessern; und weil mich der Apothecker tröstete, man würde mir über acht Tag, ohne die tiefe Narben, so mir die Purpeln in die Haut gefressen, wenig mehr ansehen, war ich schon beherzter.

## Das VIII. bis X. Kapitel

Simplicius beschließt nun das, was er bei dem Arzt in Paris gelernt hat, in Geld umzusetzen: Er beginnt als Quacksalber einfältige Leute zu betrügen. Doch ehe das Geschäft richtig floriert, wird er von kaiserlichen Truppen gefangengenommen. Durch einen unglücklichen Sturz in den Rhein entrinnt er zwar dieser Gefangenschaft, gerät aber in höchste Lebensgefahr. Von der Besatzung eines Schiffes wird er gerettet. Aber die Freiheit währt nicht lange. Rheinabwärts fahrend, greifen ihn bei Philippsburg die Kaiserlichen erneut auf, und er muß wieder als Musketier dienen.

## Das XI. Kapitel

Also hat nun der günstige Leser vernommen, in was vor einer Lebensgefahr ich gesteckt; betreffend aber die Gefahr meiner Seelen, ist zu wissen, daß ich unter meiner Muskete ein rechter wilder Mensch war, der sich um Gott und sein Wort nichts bekümmerte, keine Bosheit war mir zuviel; da waren alle Gnaden und Wohltaten, die ich von Gott jemals empfangen, allerdings vergessen; so bat ich auch weder um das Zeitlich noch Ewig, sondern lebte auf den alten Kaiser hinein wie ein Viehe. Niemand hätte mir glauben können, daß ich bei einem so frommen Einsiedel wäre erzogen worden; selten kam ich in die Kirch, und gar nicht zur Beicht, und gleichwie mir meiner Seelen Heil nichts anlag, als betrübte ich meinen Nebenmenschen desto mehr: Wo ich nur jemand berücken konnte, unterließ ichs nit, ja ich wollte noch Ruhm darvon haben, so daß schier keiner ohngeschimpft von mir kam; davon kriegte ich oft dichte Stöß, und noch öfter den Esel zu reuten, ja man bedrohete mich mit Galgen und Wippe; aber es half alles nichts, ich trieb meine gottlose Weis fort, daß es das Ansehen hatte, als ob ich das desperat spielte und mit Fleiß der Höllen zurennete. Und ob ich gleich keine Übeltat begieng, dadurch ich das Leben verwürkt hätte, so war ich jedoch so ruchlos, daß man (außer den Zauberern und Sodomiten) kaum einen wüstern Menschen antreffen mögen.

Dies nahm unser Regimentskaplan an mir in acht, und weil er ein rechter frommer Seeleneiferer war, schickte er auf die Österliche Zeit nach mir, zu vernehmen, warum ich mich nicht bei der Beicht und Kommunion eingestellt hätte? Ich traktierte ihn aber nach seinen vielen treuherzigen Erinnerungen, wie hiebevor den Pfarrer zu L. Also daß der gute Herr nichts mit mir ausrichten konnte. Und indem es schiene, als ob Christus und Tauf an mir verloren wäre, sagte er zum Beschluß: »Ach du elender Mensch! ich habe vermeint, du irrest aus Unwissenheit, aber nun merke ich, daß du aus lauter Bosheit, und gleichsam vorsätzlicherweis zu sündigen fortfährest. Ach wer vermeinst du wohl, der ein Mitleiden mit deiner armen Seel und ihrer Verdammnus haben werde? Meinesteils protestiere ich vor Gott und der Welt, daß ich an deiner Verdammnus keine Schuld haben will, weil ich getan, und noch ferner gern unverdrossen tun wollte, was zu Beförderung deiner Seligkeit vonnöten wäre. Es wird mir aber besorglich künftig mehrers zu tun nit obliegen, denn daß ich deinen Leib, wenn ihn deine arme Seel in solchem verdammten Stand verläßt, an kein geweiht Ort zu andern frommen abgestorbenen Christen begraben, sondern auf den Schindwasen bei die Cadavera des verreckten Viehs hinschleppen lasse, oder an denjenigen Ort, da man andere Gottsvergessene und Verzweifelte hintut!«

Diese ernstliche Bedrohung fruchtete ebensowenig, als die vorige Ermahnungen, und zwar nur der Ursach halber, weil ich mich vorm Beichten schämte. O ich großer Narr! Ich erzählte oft meine Bubenstück bei ganzen Gesellschaften, und log noch darzu; aber jetzt, da ich mich bekehren, und einem einigen Menschen, an Gottes Statt, meine Sünden demütig bekennen sollte, Vergebung zu empfangen, war ich ein verstockter Stumm! Ich sage recht, verstockt, blieb auch verstockt, denn ich antwortet: »Ich diene dem Kaiser vor einen Soldaten; wenn ich nun auch sterbe als ein Soldat, so wirds kein Wunder sein, da ich gleich andern Soldaten (die nit allezeit auf das Geweihte begraben werden können, sondern irgends auf dem Feld, in Gräben, oder in der Wölf und Raben Mägen vorliebnemmen müssen) mich auch außerhalb des Kirchhofs behelfen werde.«

Also schiede ich vom Geistlichen, der mit seinem heiligen Seeleneifer anders nichts um mich verdient, als daß ich ihm einsmal einen Hasen abschlug, den er inständig von mir begehrte, mit Vorwand, weil er sich selbst an einem Strick erhenkt und ums Leben gebracht, daß sich dannenhero nit gebühre, daß er als ein Verzweifelter in ein geweihtes Erdreich begraben werden sollte.

## Das XII. Kapitel

Also folgte bei mir keine Besserung, sondern ich wurde je länger je ärger; der Obrist sagte einsmals zu mir, er wollte mich, da ich kein gut tun wollte, mit einem Schelmen hinwegschicken; weil ich aber wohl wußte, daß es ihm nit Ernst war, sagte ich, dies könne leicht geschehen, wenn er mir nur den Steckenknecht mitgebe: also ließ er mich wiederum passiern, weil er sich wohl einbilden konnte, daß ichs vor keine Straff, sondern vor eine Wohltat halten würde, wenn er mich laufen ließe: Mußte demnach wider meines Herzen Willen ein Musketier bleiben und Hunger leiden, bis in den Sommer hinein. Je mehr sich aber der Graf von Götz mit seiner Armee näherte, je mehrers näherte sich auch meine Erlösung: Denn als selbiger zu Bruchsal das Hauptquartier hatte, wurde mein Herzbruder, dem ich im Läger vor Magdeburg mit meinem Geld getreulich geholfen, von der Generalität mit etlichen Verrichtungen in die Festung geschickt, da man ihm die höchste Ehr antät. Ich stund eben vor des Obristen Quartier Schildwacht, und ob er zwar ein schwarzen sammeten Rock antrug, so erkannte ich ihn jedoch gleich im ersten Anblick, hatte aber nicht das Herz, ihn sogleich anzusprechen, denn ich mußte sorgen, er würde der Welt Lauf nach sich meiner schämen, oder mich sonst nit kennen wollen, weil er den Kleidern nach in einem hohen Stand, ich aber nur ein lausiger Musketier wäre. Nachdem ich aber abgelöst wurde, erkundigte ich bei dessen Dienern seinen Stand und Namen, damit ich versichert seie, daß ich vielleicht keinen andern vor ihn anspräche, und hatte dennoch das Herz nit, ihn anzureden, sondern schrieb dieses Brieflein und ließ es ihm am Morgen durch seinen Kammerdiener einhändigen:

Monsieur, etc. Wenn meinem Hochg. Herrn beliebte, denjenigen, den er hiebevor durch seine Dapferkeit in der Schlacht bei Wittstock aus Eisen und Banden errettet, auch anjetzo durch sein vortrefflich Ansehen aus dem allerarmseligsten Stand von der Welt zu erlösen, wohinein er als ein Ball des unbeständigen Glücks geraten; so würde Ihm solches nicht allein nicht schwer fallen, sondern er würde Ihm auch vor einen ewigen Diener obligiern Seinen ohnedas getreu-verbundenen, anjetzo aber allerelendesten und verlassenen                    S. Simplicissimum.

Sobald er solches gelesen, ließ er mich zu ihm hineinkommen, sagt er: »Landsmann, wo ist der Kerl, der Euch dies Schreiben gegeben?« Ich antwort: »Herr, er liegt in hiesiger Festung gefangen.« »Wohl«, sagt er, »so gehet zu ihm und sagt, ich woll ihm darvonhelfen, und sollt er schon den Strick an Hals kriegen.« Ich sagte: »Herr, es wird solcher Mühe nit bedörfen, ich bin der arme Simplicius selbsten, der jetzt kommt, Demselben sowohl vor die Erlösung bei Wittstock zu danken, als Ihn zu bitten, mich wieder von der Musket zu erledigen, so ich wider meinen Willen zu tragen gezwungen würde.« Er ließe mich nit völlig ausreden, sondern bezeugte mit Umfahen, wie geneigt er seie, mir zu helfen; in Summa, er tät alles was ein getreuer Freund gegen dem andern tun solle, und ehe er mich fragte, wie ich in die Festung und in solche Dienstbarkeit geraten? schickte er seinen Diener zum Juden, Pferd und Kleider vor mich zu kaufen; indessen erzählte ich ihm, wie mirs ergangen, sint sein Vatter vor Magdeburg gestorben, und als er vernahm, daß ich der Jäger von Soest (von dem er so manch rühmlich Soldatenstück gehöret) gewesen, beklagte er, daß er solches nit ehe gewußt hätte, denn er mir damals gar wohl zu einer Kompagnie hätte verhelfen können.

Als nun der Jud mit einer ganzen Taglöhnerlast von allerhand Soldatenkleidern daherkam, lase er mir das beste heraus, ließ michs anziehen und nahm mich mit ihm zum Obristen, zu dem sagte er: »Herr, ich hab in Seiner Garnison gegenwärtigen Kerl angetroffen, dem ich so hoch verobligiert bin, daß ich ihn in so niedrigem Stand, wennschon seine Qualitäten keinen bessern meritierten, nit lassen kann; bitte derowegen den Herrn Obristen, Er wolle mir den Gefallen erweisen und ihn entweder besser akkommodieren oder zulassen, daß ich ihn mit mir nemme, um ihm bei der Armee fortzuhelfen, worzu vielleicht der Herr Obriste hier die Gelegenheit nit hat.« Der Obrist verkreuzigte sich vor Verwunderung, daß er mich einmal loben hörte, und sagte: »Mein hochgeehrter Herr vergeb mir, wenn ich glaube, Ihm beliebe nur zu probieren, ob ich Ihm auch so willig zu dienen sei, als Er dessen wohl wert ist; und wofern Er so gesinnet, so begehre Er etwas anders, das in meinem Gewalt steht, so wird Er meine Willfährigkeit im Werk erfahren: Was aber diesen Kerl anbelangt, ist solcher nicht eigentlich mir, sondern, seinem Vorgeben nach, unter ein Regiment Dragoner gehörig, darneben ein solch schlimmer Gast, der meinem Profosen, sint er hier ist, mehr Arbeit geben, als sonst ein ganze Kompagnie, so daß ich von ihm glauben muß, er könne in keinem Wasser ersaufen.« Endet damit seine Red lachend, und wünschte mir Glück ins Feld.

Dies war meinem Herzbruder noch nicht genug, sondern er bat den Obristen auch, er wollte sich nicht zuwider sein lassen, mich mit an seine Tafel zu nemmen, so er auch erhielt; er täts aber zu dem Ende, daß er dem Obristen in meiner

Gegenwart erzähle, was er in Westfalen nur diskursent von dem Grafen von der Wahl und dem Kommandanten in Soest von mir gehöret hätte: Welches alles er nun dergestalt heraußstriche, daß alle Zuhörer mich vor einen guten Soldaten halten mußten; darbei hielt ich mich so bescheiden, daß der Obrist und seine Leut, die mich zuvor gekannt, nicht anders glauben konnten, als ich wäre mit andern Kleidern auch ein ganz anderer Mensch worden. Und demnach der Obrist auch wissen wollte, woher mir der Nam Doktor zukommen wäre? erzählt ich ihm meine ganze Reis von Paris aus bis nach Philippsburg, und wieviel Bauern ich betrogen, mein Maulfutter zu gewinnen, darüber sie ziemlich lachten. Endlich gestund ich unverhohlen, daß ich willens gewest, ihn Obristen mit allerhand Bosheiten dergestalt zu perturbiern und abzumatten, daß er mich endlich aus der Garnison hätte schaffen müssen, dafern er anders wegen der vielen Klagen in Ruhe vor mir leben wollen. [...]

## Aus dem XIII. Kapitel

Herzbruder nimmt Simplicius mit zu seinem Regiment und verspricht, ihm sobald als möglich eine Kommandostelle zu verschaffen. Als Simplicius sich durch eigene Schuld um seine zwei Pferde bringt, gerät er unter die Merodebrüder. Das ist eine besondere »Zunft«, die der Krieg hervorgebracht hat. Und zwar war es so,

daß man endlich alle diejenige, sie wären gleich krank oder gesund, verwundt oder nit, wenn sie nur außerhalb der Zugordnung daherzottelten oder sonst nicht bei ihren Regimentern ihr Quartier im Feld nahmen, Merodebrüder nannte, welche Bursch man zuvor Säusenger und Immenschneider geheißen hatte; denn sie sind wie die Brumser in den Immenfässern, welche, wenn sie ihren Stachel verloren haben, nicht mehr arbeiten noch Honig machen, sondern nur fressen können; wann ein Reuter sein Pferd und ein Musketier seine Gesundheit verleurt, oder ihm Weib und Kind erkrankt und

zuruckbleiben will, so ists schon anderthalb Paar Merodebrüder, ein Gesindlein, so sich mit nichts besser als mit den
Zügeinern vergleicht, weil es nicht allein nach seinem Belieben
vor, nach, neben und mitten unter der Armee herumstreicht,
sondern auch demselben beides, an Sitten und Gewohnheit
ähnlich ist; da siehet man sie haufenweis beieinander (wie
die Feldhühner im Winter) hinder den Hecken, im Schatten,
oder nach ihrer Gelegenheit an der Sonnen, oder irgends um
ein Feur herum liegen, Taback zu saufen und zu faulenzen,
wenn unterdessen anderwärts ein rechtschaffener Soldat
beim Fähnlein Hitz, Durst, Hunger, Frost und allerhand
Elend überstehet. Dort geht eine Schar neben dem Marsch
her auf die Mauserei, wenn in dessen manch armer Soldat
vor Mattigkeit unter seinen Waffen versinken möchte. Sie
spolieren vor, neben und hinder der Armee alles was sie antreffen, und was sie nicht genießen können, verderben sie,
also daß die Regimenter, wenn sie in die Quartier oder ins
Läger kommen, oft nicht einen guten Trunk Wasser finden;
und wenn sie alles Ernstes angehalten werden, bei der Bagage
zu bleiben, so wird man oft beinahe dieselbe stärker finden,
als die Armee selbst ist; wenn sie aber gesellenweis marschieren, quartieren, kampieren und hausieren, so haben sie keinen Wachtmeister, der sie kommandiert, keinen Feldwaibel
oder Schergianten, der ihnen das Wams ausklopft, keinen
Korporal, der sie wachen heißt, keinen Tambour, der sie des
Zapfenstreichs, der Schar- und Tagwacht erinnert, und in
Summa niemand, der sie anstatt des Adjutanten in Battaglia
stellt oder anstatt des Furiers einlogiert, sondern leben vielmehr wie die Freiherren. Wenn aber etwas an Kommiß der
Soldateska zukommt, so sind sie die erste, die ihr Teil holen,
ob sie es gleich nit verdient. Hingegen sind die Rumormeister
und Generalgewaltiger ihr allergrößte Pest, als welche ihnen
zuzeiten, wenn sie es zu bunt machen, eiserne Silbergeschirr
an Händ und Füß legen, oder sie wohl gar mit einem hänfi-
nen Kragen zieren und an ihre allerbeste Häls aufhenken
lassen.

Sie wachen nicht, sie schanzen nicht, sie stürmen nicht, und kommen auch in keine Schlachtordnung, und sie ernähren sich doch! Was aber der Feldherr, der Landmann und die Armada selbst, bei deren sich viel solches Gesinds befindet, vor Schaden darvon habe, ist nicht zu beschreiben. [. . .]

Zu diesen Leuten gehört er nun. Doch ehe er sich da »heimisch« fühlen kann, wird er auf einem Beutezug von schwedischen Verbündeten gefangengenommen.

## Das XIV. Kapitel

Wieder unter schwedischer Fahne, beginnt er an Lippstadt und an seine Frau zu denken. Durch Beziehungen seines Schwiegervaters bekommt er einen Paß und darf sich zu einem Besuch nach Lippstadt aufmachen. Auf der Reise wird er jedoch von einem Buschräuber überfallen, gegen den er sich mit Mühe wehren kann. Schließlich einigen sich aber die beiden, und Simplicius läßt sich von dem Gesellen sogar einladen.

## Aus dem XV. Kapitel

Ein resoluter Soldat, der sich darein ergeben, sein Leben zu wagen und gering zu achten, ist wohl ein dummes Vieh! Man hätte tausend Kerl gefunden, darunter kein einiger das Herz gehabt hätte, mit einem solchen, der ihn erst als ein Mörder angegriffen, an ein unbekannt Ort zu Gast zu gehen: Ich fragt ihn auf dem Weg, was Volks er sei? da sagte er, er hätte vor diesmal keinen Herrn, sondern kriege vor sich selbst, und fragte zugleich, was Volks denn ich sei? Ich sagte, daß ich weimarisch gewesen, nunmehr aber mein Abschied hätte, und gesinnet wäre, mich nach Haus zu begeben; darauf fragte er, wie ich hieße? und da ich antwortet: »Simplicius«, kehrt er sich um (denn ich ließ ihn vorangehen, weil ich ihm nit traute) und sahe mir steif ins Gesicht: »Heißt du nicht auch Simplicissimus?« »Ja«, antwortet ich, »der ist ein Schelm, der seinen Namen verleugnet, wie heißt aber du?« »Ach Bruder«, antwortet er, »so bin ich Olivier, den du

wohl vor Magdeburg wirst gekannt haben«; warf damit sein
Rohr von sich, und fiel auf die Kniee nieder, mich um Ver-
zeihung zu bitten, daß er mich so übel gemeint hätte, sagend,
er könnte sich wohl einbilden, daß er keinen bessern Freund
in der Welt bekomme, als er an mir einen haben würde, weil
ich nach des alten Herzbruders Prophezei seinen Tod so
dapfer rächen sollte: Ich hingegen wollte mich über ein so
seltsame Zusammenkunft verwundern, er aber sagte: »Das
ist nichts Neues, Berg und Tal kommt nit zusammen; das ist
mir aber seltsam, daß wir beide uns so verändert haben,
sintemal ich aus einem Secretario ein Waldfischer, du aber
aus einem Narrn zu einem so dapfern Soldaten worden! Sei
versichert Bruder, wenn unserer zehentausend wären, daß
wir morgenden Tags Breisach entsetzen und endlich [uns] zu
Herren der ganzen Welt machen wollten.« [. . .]

Olivier führt Simplicius in eine Bauernhütte, dort hat er sein
Standquartier aufgeschlagen und wird von einem Bauern versorgt.
Nun erzählt Olivier etwas von seiner Arbeit, Simplicius stellt
daraufhin allerlei Fragen.

Ich antwortet: »Gesetzt aber Bruder, du werdest nicht erdappt, das doch sehr mißlich stehet, denn der Krug gehet so
lang zum Brunnen, bis er einmal zerbricht, so ist dannoch ein
solch Leben, wie du führest, das allerschändlichste von der
Welt, daß ich also nit glaube, daß du darin zu sterben begehrest.« »Was« (sagte er) »das schändlichste? mein dapferer
Simplici, ich versichere dich, daß die Rauberei das alleradel-
lichste Exercitium ist, das man dieser Zeit auf der Welt
haben kann! Sag mir, wie viel Königreich und Fürstentümer
sind nicht mit Gewalt erraubt und zuwegen gebracht worden? Oder wo wirds einem König oder Fürsten auf dem
ganzen Erdboden vor übel aufgenommen, wenn er seiner
Länder Intraden geneußt, die doch gemeinlich durch ihrer
Vorfahren verübten Gewalt zuwegen gebracht worden?
Was könnte doch adelicher genennet werden, als eben das
Handwerk, dessen ich mich jetzt bediene? Ich merke dir an,
daß du mir gern vorhalten wolltest, daß ihrer viel wegen

Mordens, Raubens und Stehlens seien gerädert, gehenkt und geköpft worden? das weiß ich zuvor wohl, dann das befehlen die Gesetze; du wirst aber keine andere als arme und geringe Dieb haben henken sehen, welches auch billich ist, weil sie sich dieser vortrefflichen Übung haben unterfangen dörfen, die doch niemanden als herzhaften Gemütern gebührt und vorbehalten ist: Wo hast du jemals eine vornehme Standsperson durch die Justitiam strafen sehen, um daß sie ihr Land zu viel beschwert habe? ja was noch mehr ist, wird doch kein Wucherer gestraft, der diese herrliche Kunst heimlich treibt, und zwar unter dem Deckmantel christlicher Lieb; warum wollte denn ich strafbar sein, der ich solche offentlich, auf gut Altteutsch, ohn einige Bemäntelung und Gleisnerei übe? Mein lieber Simplici, du hast den Machiavellum noch nicht gelesen; ich bin eines recht aufrichtigen Gemüts, und treibe diese Manier zu leben frei offentlich ohne allen Scheu. Ich fechte und wag mein Leben darüber, wie die alte Helden, weiß auch, daß diejenige Handierungen, dabei der so sie treibt, in Gefahr stehen muß, zugelassen sind; weil ich denn mein Leben in Gefahr setze, so folgt unwidersprechlich, daß mirs billich und erlaubt sei, diese Kunst zu üben.«
Hierauf antwortet ich: »Gesetzt, Rauben und Stehlen sei dir erlaubt oder nicht, so weiß ich gleichwohl, daß es wider das Gesetz der Natur ist, das da nicht will, daß einer einem andern tun solle, das er nicht will, daß es ihm geschehe; so ist solche Unbilligkeit auch wider die weltliche Gesetz, welche befehlen, daß die Dieb gehenkt, die Räuber geköpft, und die Mörder geradbrecht werden sollen; und letztlich so ist es auch wider Gott, so das Fürnehmste ist, weil er keine Sünde ungestraft läßt.« »Es ist, wie ich vor gesagt« (antwort Olivier) »du bist noch Simplicius, der den Machiavellum noch nit studiert hat; könnte ich aber auf solche Art eine Monarchiam aufrichten, so wollte ich sehen, wer mir alsdenn viel darwider predigte.« Wir hätten noch mehr miteinander disputiert, weil aber der Baur mit dem Essen und Trinken kam, saßen wir zusammen, und stillten unsere Mägen, dessen ich denn trefflich hoch vonnöten hatte.

## Das XVI. Kapitel

Olivier trägt Simplicius Freundschaft und »Mitarbeit« an. Simplicius traut ihm jedoch nicht und faßt einen Plan: »Ich setzte mir
demnach vor, ich wollt ihm eine Nas drähen, bei ihm zu bleiben, bis ich mit Gelegenheit von ihm kommen könnte; sagte
derhalben, so er mich leiden möchte, wollte ich mich ein Tag oder
acht bei ihm aufhalten, zu sehen, ob ich solche Art zu leben ge-
wohnen könnte.« Olivier ist zufrieden.

## Das XVII. Kapitel

Am Morgen gegen Tag sagte Olivier: »Auf Simplici, wir
wollen in Gottes Namen hinaus, zu sehen, was etwan zu
bekommen sein möchte.« »Ach Gott«, gedacht ich, »soll ich
dann nun in deinem hochheiligen Namen auf die Rauberei
gehen? und bin hiebevor, nachdem ich von meinem Einsiedel
kam, nit so kühn gewesen, ohne Erstaunen zuzuhören, wenn
einer zum andern sagte: ›Komm Bruder, wir wollen in Gottes Namen ein Maß Wein miteinander saufen‹; weil ichs
vor eine doppelte Sünd hielte, wenn einer in deinem Namen
sich vollsöffe. O himmlischer Vatter, wie hab ich mich verändert! O getreuer Gott, was wird endlich aus mir werden,
wenn ich nicht wieder umkehre? Ach hemme meinen Lauf,
der mich so richtig zur Höllen bringt, da ich nit Buß tue!«
Mit dergleichen Worten und Gedanken folgete ich Olivier in
ein Dorf, darinnen kein lebendige Kreatur war; da stiegen
wir des fernen Aussehens halber auf den Kirchturn; auf
demselben hatte er die Strümpf und Schuh verborgen, die er
mir den Abend zuvor versprochen, darneben zwei Leib
Brod, etlich Stück gesotten dörr Fleisch, und ein Fäßlein
halb voll Wein im Vorrat, mit welchem er sich allein gern
acht Tag hätte behelfen können. Indem ich nun meine Verehrung anzoge, erzählt er mir, daß er an diesem Ort pflege
aufzupassen, wenn er eine gute Beut zu holen gedächte, deswegen er sich dann so wohl proviantiert, mit dem Anhang,
daß er noch etlich solcher Örter hätte, die mit Speis und

Trank versehen wären, damit wenn Bläsi an einem Ort nicht zu Haus wäre, er ihn am andern finden könnte. Ich mußte zwar seine Klugheit loben, gab ihm aber zu verstehen, daß es doch nicht schön stünde, ein so heiligen Ort, der Gott gewidmet sei, dergestalt zu beflecken. »Was«, sagte er, »beflecken? die Kirchen, da sie reden könnten, würden gestehen, daß sie dasjenige, was ich in ihnen begehe, gegen denen Lastern, so hiebevor in ihnen begangen worden, noch vor gar gering aufnehmen müßten; wie mancher und wie manche meinst du wohl, die sint Erbauung dieser Kirch hereingetretten seien, unter dem Schein, Gott zu dienen, da sie doch nur herkommen, ihre neue Kleider, ihre schöne Gestalt, ihre Präeminenz und sonst so etwas sehen zu lassen? da kommt einer zur Kirchen wie ein Pfau, und stellt sich doch vorm Altar, als ob er den Heiligen die Füß abbeten wollte; dort stehet einer in einem Eck zu seufzen wie der Zöllner im Tempel, welche Seufzer aber nur zu seiner Liebsten gehen, in deren Angesicht er seine Augen weidet, um derentwillen er sich auch eingestellt: Ein ander kommt vor, oder wenns wohl gerät, in die Kirch mit einem Gebund Brief, wie einer der ein Brandsteur sammlet, mehr seine Zinsleut zu mahnen, als zu beten; hätte er aber nit gewußt, daß seine Debitores zur Kirch kommen müßten, so wäre er fein daheim über seinen Registern sitzen blieben: Ja es geschicht zuzeiten, wenn teils Obrigkeiten einer Gemeind im Dorf etwas anzudeuten hat, so muß es der Bott am Sonntag bei der Kirchen tun, daher sich mancher Bauer vor der Kirch ärger, als ein armer Sünder vor dem Richthaus förchtet: Meinest du nicht, es werden auch von denjenigen in die Kirch begraben, die Schwerd, Galgen, Feuer und Rad verdient hätten? Mancher könnte seine Buhlerei nicht zu End bringen, da ihm die Kirch nit beförderlich wäre; ist etwas zu verkaufen oder zu verleihen, so wirds an teils Orten an die Kirchtür geschlagen; wenn mancher Wucherer die ganze Woche keine Zeit nimmt, seiner Schinderei nachzusinnen, so sitzt er unter währendem Gottesdienst in der Kirch, und dichtet, wie der Judenspieß zu führen seie; da sitzen sie hier und dort unter der Meß und Predigt miteinander zu diskurieren, gerad als ob die Kirch nur zu dem End gebauet wäre; da werden denn oft Sachen beratschlagt, deren man an Privatörtern nicht gedenken dörfte; teils sitzen dort, und schlafen, als ob sie es verdingt hätten; etliche tun nichts anders als Leut ausrichten, und sagen: ›Ach wie hat der Pfarrer diesen oder jenen so artlich in seiner Predigt getroffen!‹ Andere geben fleißig Achtung auf des Pfarrers Vorbringen, aber nit zu dem End, daß sie sich daraus bessern, sondern damit sie ihren Seelsorger, wenn er nur im geringsten anstößt (wie sie es verstehen) durchziehen und tadlen möchten; ich geschweig hier derjenigen Historien, so ich gelesen, was vor Buhlschaften durch Kupplerei in den Kirchen hin und wieder ihren Anfang und End genommen, so fällt mir auch, was ich von dieser Materi noch zu reden hätte, jetzt nicht alles ein: Dies mußt du doch noch wissen, daß die Menschen nit allein in ihrem Leben die Kirchen mit Lastern beschmitzen, sondern auch nach ihrem Tod dieselbe mit Eitelkeit und Torheit erfüllen; sobald du in eine Kirche kommest, so wirst du an den Grabsteinen und Epitaphien sehen, wie diejenige noch prangen, die doch die Würm schon längst gefressen; siehest du dann in die Höhe, so kommen dir mehr Schild, Helm, Waffen, Degen, Fahnen, Stiefeln, Sporn und dergleichen Ding ins Gesicht, als in mancher Rüstkammer, daß also kein Wunder, daß sich die Bauern diesen Krieg über an etlichen Orten aus den Kirchen, wie aus Festungen, um das Ihrige gewehrt: Warum sollte mir nicht erlaubt sein, mir sage ich, als einem Soldaten, daß ich mein Handwerk in der Kirchen treibe? da doch hiebevor zween geistliche Vätter in einer Kirch nur des Vorsitzes halber ein solch Blutbad angestellt, daß die Kirch mehr einem Schlachthaus der Metzger, als heiligen Ort gleichgesehen: Ich zwar ließe es noch unterwegen, wenn man nur den Gottesdienst zu verrichten herkäme, da ich doch ein Weltmensch bin; jene aber, als Geistliche, respektierten doch die hohe Majestät des Römischen Kaisers nicht. Warum sollte mir verbotten sein, meine Nahrung vermittelst der Kirche zu suchen, da sich doch sonst so viel Menschen von derselben ernähren? Ists billich, daß mancher Reicher um ein Stück Geld in die Kirche begraben wird, sein und seiner Freundschaft Hoffart zu bezeugen, und daß hingegen der Arme (der doch so wohl ein Christ als jener, ja vielleicht ein frömmerer Mensch gewesen) so nichts zu geben hat, außerhalb in einem Winkel verscharret werden muß; es ist ein Ding, wie mans macht; wenn ich hätte gewußt, daß du Bedenken trügest, in der Kirch aufzupassen, so hätte ich mich bedacht, dir anderst zu antworten; indessen nimm ein Weil mit diesem vorlieb, bis ich dich einmal anders berede.«

Ich hätte dem Olivier gern geantwort, daß solches auch liederliche Leut wären, so wohl als er, welche die Kirchen verunehren, und daß dieselbige ihren Lohn schon drum finden würden; weil ich ihm aber ohnedas nicht traute, und ungern noch einmal mit ihm gestritten hätte [, ließ ich ihn recht haben]. Hernach begehrte er, ich wollte ihm erzählen, wie mirs ergangen, sint wir vor Wittstock voneinander kommen, und dann warum ich Narrnkleider angehabt, als ich im Magdeburgischen Läger angelangt? Weil ich aber wegen Halsschmerzen gar zu unlustig, entschuldigte ich mich, mit Bitt, er wollte mir doch zuvor seinen Lebenslauf erzählen, der vielleicht possierliche Schnitz in sich hielte; dies sagte er mir zu, und fieng sein ruchlos Leben nachfolgendergestalt an zu erzählen.

### Das XVIII. bis XXIII. Kapitel

Olivier erzählt nun. Dabei ist er von einer überraschenden Ehrlichkeit: »Ehe ich das siebende Jahr völlig überlebte, erzeigte sich schon, was aus mir werden wollte, dann was zur Nessel werden soll, brennt beizeiten; kein Schelmenstück war mir zuviel, und wo ich einem konnte einen Possen reißen, unterließ ichs nicht, dann mich weder Vatter noch Mutter hierum strafte.« – Simplicius lernt das Leben eines Erzspitzbuben kennen. Zuletzt erfährt er noch zu seinem Vergnügen, daß es Olivier war, den er als den Konkurrenten des Jägers von Soest so schimpflich verjagt hat; er hütet sich aber, das zu verraten.

Danach unternehmen sie ihren ersten Überfall, der recht lohnend ist.

## Aus dem XXIV. Kapitel

Im Anschluß daran zieht Olivier seinen neuen Kumpan ins Vertrauen, indem er ihn wegen der Aufbewahrung des Geldes um Rat bittet, Simplicius macht nun jedem eine Art Unterkleid, in das er ihr Geld einnäht und das sie dann unter dem Hemd tragen.

Als dies geschehen und das Geld eingepackt war, giengen wir nach unserm Logiment, darin wir dieselbe Nacht über kochten und uns beim Ofen ausbäheten: Und demnach es eine Stund Tag war, kamen, als wir uns dessen am wenigsten versahen, sechs Musketier samt einem Korporal, mit fertigem Gewehr und aufgepaßten Lunden ins Häuslein, stießen die Stubentür auf, und schrieen: Wir sollten uns gefangen geben! Aber Olivier (der sowohl als ich jederzeit seine gespannte Muskete neben sich liegen, und sein scharf Schwerd allzeit an der Seiten hatte und damals eben hinderm Tisch saße, gleichwie ich hinder der Tür beim Ofen stunde) antwortet ihnen mit einem paar Kuglen, durch welche er gleich zween zu Boden fällte, ich aber erlegte den dritten, und beschädigte den vierten durch einen gleichmäßigen Schuß; darauf wischte Olivier mit seinem notfesten Schwerd, welches Haar schure, und wohl des Königs Arturi in England Caliburn verglichen werden möchte, von Leder, und hieb den fünften von der Achsel an bis auf den Bauch hinunder, daß ihm das Ingeweid heraus, und er neben demselben darniederfiel, indessen schlug ich den sechsten mit meinem umgekehrten Feurrohr auf den Kopf, daß er alle vier von sich streckte; einen solchen Streich kriegte Olivier von dem siebenden, und zwar mit solchem Gewalt, daß ihm das Hirn herausspritze, ich aber traf denselben, ders ihm getan, wiederum dermaßen, daß er gleich seinen Kameraden am Totenreihen Gesellschaft leisten mußte; als der Beschädigte, den ich anfänglich durch meinen Schuß getroffen, dieser Püff gewahr wurde, und sahe, daß ich ihm mit umgekehrtem Rohr auch ans Leder wollte, warf er sein Gewehr hinweg, und fieng an zu laufen, als ob ihn der Teufel selbst gejagt hätte. Und dieses Gefecht währte nit länger, als eines

Vatterunsers Länge, in welcher kurzen Zeit diese sieben dapfere Soldaten ins Gras bissen.

Da ich nun solchergestalt allein Meister auf dem Platz blieb, beschaute ich den Olivier, ob er vielleicht noch einen lebendigen Atem in sich hätte; da ich ihn aber ganz entseelet befände, dünkte mich ungereimt zu sein, einem toten Körper so viel Golds zu lassen, dessen er nit vonnöten, zog ihm derwegen das gülden Fell ab, so ich erst gestern gemacht hatte, und henkte es auch an Hals zu dem andern. Und demnach ich mein Rohr zerschlagen hatte, nahme ich Oliviers Muskete und Schwerd zu mir; mit demselben versahe ich mich auf allen Notfall, und machte mich aus dem Staub, und zwar auf den Weg, da ich wußte, daß unser Baur darauf herkommen müßte; ich setzte mich beiseit an ein Ort, seiner zu erwarten, und mich zugleich zu bedenken, was ich ferner anfangen wollte.

### Aus dem XXV. Kapitel

Der Bauer, der Olivier Unterschlupf geboten hat, wird von Simplicius gezwungen, ihn nach Villingen zu führen. Dort gelingt es ihm, durch allerlei Lügen das Vertrauen des kaiserlichen Kommandanten zu erlangen und damit auch einen Paß. Zufrieden über seine Erfolge, läßt er sich's in einem Gasthaus wohl sein und überdenkt seine Zukunft, besonders die Möglichkeiten, nach Lippstadt zu kommen.

Indem ich nun so spekulierte, hinkte ein Kerl in die Stub, an einem Stecken in der Hand, der hatte einen verbundenen Kopf, einen Arm in der Schlinge, und so elende Kleider an, daß ich ihm kein Heller darum gäbe hätte; sobald ihn der Hausknecht sahe, wollte er ihn austreiben, weil er übel stunke und so voll Läus kroche, daß man die ganze Schwabenhaid damit besetzen könnte; er aber bat, man wollte ihm doch um Gottes willen zulassen, sich nur ein wenig zu wärmen, so aber nichts half; demnach ich mich aber seiner erbarmte und vor ihn bat, wurde er kümmerlich zum Ofen gelassen: Er sahe mir, wie mich dünkte, mit begierigem Appetit und großer Andacht zu, wie ich draufhiebe, und ließ etliche Seufzer laufen, und als der Hausknecht gieng, mir ein Stück Gebratens zu holen, gieng er gegen mir zum Tisch zu und reichte ein irden Pfennighäfelein in der Hand dar, als ich mir wohl einbilden konnte, warum er käme? nahm derhalben die Kanne und goß ihme seinen Hafen voll, ehe er hiesche. »Ach Freund«, sagte er, »um Herzbruders willen gebt mir auch zu essen!« Da er solches sagte, gieng mirs durchs Herz, und befand, daß es Herzbruder selbsten war; ich wäre beinahe in Ohnmacht gesunken, da ich ihn in einem so elenden Stand sahe, doch erhielt ich mich, fiel ihm um den Hals, und setzte ihn zu mir, da uns denn beiden, mir aus Mitleiden und ihm aus Freud, die Augen übergiengen.

### Das XXVI. Kapitel

Nun pflegt er seinen Freund Herzbruder und erfährt, wie dieser durch eine verlorene Schlacht und dadurch, daß sein Herr, der Graf von Götz, beim Kaiser in Ungnade gefallen ist, soweit hat herunterkommen können.

## FÜNFTES BUCH

## Aus dem I. Kapitel

Nach Herzbruders Genesung beschließen die beiden, eine Wallfahrt nach Einsiedeln zu machen. Simplicius, der ohne wirklich inneres Bedürfnis mitgeht und die harten Erbsen, die zur Buße in seinen Wanderschuhen liegen, bald durch gekochte ersetzt, wird nach der Entdeckung dieser »Erleichterung« durch Herzbruder und dessen dringlichen Bußermahnungen doch recht nachdenklich.

Von dieser Zeit an folgte ich ihm traurig nach, als einer den man zum Galgen führt, mein Gewissen fieng mich an zu drücken, und indem ich allerlei Gedanken machte, stelleten sich alle meine Bubenstück vor Augen, die ich mein Lebtag je begangen; da beklagte ich erst die verlorne Unschuld, die ich aus dem Wald gebracht, und in der Welt so vielfältig verscherzt hatte; und was meinen Jammer vermehrte, war dieses, daß Herzbruder nit viel mehr mit mir redete, und mich nur mit Seufzen anschaute, welches mir nit anders vorkam, als hätte er meine Verdammnus gewußt und an mir bejammert.

## Das II. Kapitel

Solchergestalt langten wir zu Einsiedlen an, und kamen eben in die Kirch, als ein Priester einen Besessenen exorzisieret; das war mir nun auch etwas Neues und Seltsams, derowegen ließ ich Herzbrudern knieen und beten, solang er mochte, und gieng hin, diesem Spektakul aus Fürwitz zuzusehen; aber ich hatte mich kaum ein wenig genähert, da schriee der böse Geist aus dem armen Menschen: »Oho, du Kerl, schlägt dich der Hagel auch her? ich hab vermeint, dich zu meiner Heimkunft bei dem Olivier in unserer höllischen Wohnung anzutreffen; so sehe ich wohl, du läßt dich hier finden, du ehebrecherischer mörderischer Hurenjäger, darfst du dir wohl einbilden, uns zu entrinnen? O ihr Pfaffen, nemmt ihn nur nicht an, er ist ein Gleisner und ärgerer Lügner als ich, er foppt sich nur, und spottet beides Gott und der Religion!« Der Exorzist befohl dem Geist zu schweigen, weil man ihm als einem Erzlügner ohnedas nit glaube. »Ja ja«, antwortet er, »fragt dieses ausgesprungenen Mönchs Reisgesellen, der wird euch wohl erzählen können, daß dieser Atheist sich nit gescheuet, die Erbsen zu kochen, auf welchen er hieher zu gehen versprochen.« Ich wußte nit, ob ich auf dem Kopf oder Fuß stunde, da ich dieses alles hörete, und mich jedermann ansahe; aber der Priester strafte den Geist und machte ihn stillschweigen, konnte ihn aber denselben Tag nicht austreiben. Indessen kam Herzbruder auch herzu, als ich eben vor Angst mehr einem Toten als Lebendigen gleichsahe, und zwischen Hoffnung und Forcht nit wußte, was ich tun sollte; dieser tröstete mich so gut als er konnte, versicherte darneben die Umstehende, und sonderlich die Patres, daß ich mein Tage nie kein Mönch gewesen, aber wohl ein Soldat, der vielleicht mehr Böses als Gutes getan haben möchte, sagte darneben, der Teufel wäre ein Lügner, wie er denn auch das von den Erbsen viel ärger gemacht hätte, als es an sich selbst wäre; ich war aber in meinem Gemüt dermaßen verwirret, daß mir nicht anders war, als ob ich allbereit die höllische Pein selbst empfände, also daß die Geistlichen genug an mir zu trösten hatten; sie vermahnten mich zur Beicht und Kommunion, aber der Geist schriee abermal aus dem Besessenen: »Ja ja, er wird fein beichten, er weiß nit einmal was beichten ist; und zwar was wollt ihr mit ihm machen? er ist einer ketzerischen Art, und uns zuständig, seine Eltern sein mehr wiedertäuferisch als kalvinisch gewesen«, etc. Der Exorzist befohl dem Geist abermal stillzuschweigen und sagte zu ihm: »So wird dichs desto mehr verdrießen, wenn dir das arme verlorne Schäflein wieder aus dem Rachen gezogen, und der Herd Christi einverleibt wird«; darauf fieng der Geist so grausam an zu brüllen, daß es schröcklich zu hören war. Aus welchem greulichen Gesang ich meinen größten Trost schöpfte, dann ich gedachte, wenn ich keine Gnad von Gott mehr erlangen könnte, so würde sich der Teufel nicht so übel geheben.

Wiewohl ich mich damals auf die Beicht nicht gefaßt gemacht, auch mein Lebtag nie in Sinn genommen zu beichten, sondern mich jederzeit aus Scham darvor geförchtet, wie der Teufel vorm H. Kreuz, so empfande ich jedoch in selbigem Augenblick in mir eine solche Reu über meine Sünden, und ein solche Begierde zur Buße und mein Leben zu bessern, daß ich alsobalden einen Beichtvatter begehrte, über welcher gählingen Bekehrung und Besserung sich Herzbruder höchlich erfreuete, weil er wahrgenommen und wohl gewußt, daß ich bisher noch keiner Religion beigetan gewesen; demnach bekannte ich mich öffentlich zu der katholischen Kirchen, gieng zur Beicht, und kommunizierte nach empfangener Absolution; worauf mir dann so leicht und wohl ums Herz wurde, daß ichs nicht aussprechen kann, und was das verwunderlichste war, ist dieses, daß mich der Geist in dem Besessenen fürterhin zufrieden ließe, da er mir doch vor der Beicht und Absolution unterschiedliche Bubenstück die ich begangen gehabt, so eigentlich vorgeworfen, als wann er auf sonst nichts, als meine Sünden anzumerken, bestellt gewesen wäre; doch glaubten ihm als einem Lügner die Zuhörer nichts, sonderlich weil mein ehrbarer Pilgerhabit ein anders vor die Augen stellete.

Wir verblieben vierzehen ganzer Tag an diesem gnadenreichen Ort, allwo ich Gott um meine Bekehrung dankte, und die Wunder so allda geschehen, betrachtete; welches alles mich zu ziemlicher Andacht und Gottseligkeit reizete; doch währete solches auch solang als es mochte; dann gleichwie meine Bekehrung ihren Ursprung nicht aus Liebe zu Gott genommen: sondern aus Angst und Forcht verdammt zu werden; also wurde ich auch nach und nach wieder ganz lau und träg, weil ich allgemählich des Schreckens vergaß, den mir der böse Feind eingejagt hatte; und nachdem wir die Reliquien der Heiligen, die Ornat und andere sehenswürdige Sachen des Gotteshauses genungsam beschauet, begaben wir uns nach Baden, alldorten vollends auszuwintern.

## Das III. und IV. Kapitel

Sie bringen also in diesem Badeort den Winter zu. Simplicius
erwartet Antwort auf die Briefe, die er seiner Frau geschrieben
hat. Endlich des Wartens überdrüssig, schließt er sich Herzbruder
an, der im Frühjahr nach Wien reist. In Wien tritt Simplicius,
als ehemaliger Jäger von Soest in gutem Ansehen, wieder in kaiserliche Dienste und bekommt eine Hauptmannsstelle. Bald darauf
werden Simplicius und Herzbruder in einer Schlacht verwundet.
Die Ärzte raten Herzbruder zu einer Sauerbrunnenkur in Grießbach im Schwarzwald. Simplicius, weit weniger verletzt, quit-
tiert den Dienst in der Armee, um seinen Freund zu begleiten.

## Aus dem V. Kapitel

Simplicius und Herzbruder reisen in den Schwarzwald; während
Herzbruder seine, wie sich bald herausstellt, aussichtslose Kur ab-
solviert, macht Simplicius sich auf, seine Frau zu besuchen. In Köln
unterbricht er seine Reise.

Ich gieng zuvorderst hin meinen Jovem zu besuchen, der
mich hiebevor zu seinem Ganymede erklärt hatte, um zu
erkundigen, wie es mit meinen hinderlegten Sachen eine Be-
wandtnus hätte; der war aber damals wiederum ganz hirn-
schellig und unwillig über das menschlich Geschlecht. »O
Mercuri«, sagte er zu mir, als er mich sahe, »was bringst du
Neues von Münster? vermeinen die Menschen wohl ohn meinen Willen Frieden zu machen? Nimmermehr! Sie hatten
ihn, warum haben sie ihn nicht behalten? Giengen nit alle
Laster im Schwang, als sie mich bewegten ihnen den Krieg
zu senden? womit haben sie seithero verdienet, daß ich ihn
den Frieden wiedergeben sollte? haben sie sich dann seither
bekehrt? seind sie nicht ärger worden, und selbst mit in
Krieg geloffen wie zu einer Kirmeß? oder haben sie sich
vielleicht wegen der Teurung bekehret, die ich ihnen zuge-
sandt, darin so viel tausend Seelen Hungers gestorben; oder
hat sie vielleicht das grausame Sterben erschreckt (das so viel
Millionen hingerafft), daß sie sich gebessert? Nein, nein,

Mercuri, die übrig Verbliebene, die den elenden Jammer mit ihren Augen angesehen, haben sich nit allein nit gebessert, sondern seind viel ärger worden als sie zuvor jemals gewesen! haben sie sich nun wegen so vieler scharpfen Heimsuchungen nit bekehrt, sondern unter so schwerem Kreuz und Trübsalen gottlos zu leben nicht aufgehöret, was werden sie dann erst tun, wann ich ihnen den wollustbarlichen güldenen Frieden wieder zusendete? Ich müßte sorgen, daß sie mir wie hiebevor die Riesen getan, den Himmel abzustürmen unterstehen würden; aber ich will solchem Mutwillen wohl beizeit steuern, und sie im Krieg hocken lassen.«

Weil ich nun wußte, wie man diesem Gott lausen mußte, wann man ihn recht stimmen wollte, sagte ich: »Ach großer Gott, es seufzet aber alle Welt nach dem Frieden, und versprechen ein große Besserung, warum wolltest du ihnen dann solchen noch länger verweigern können?« »Ja«, antwortet Jupiter, »sie seufzen wohl, aber nit meinet- sondern ihrentwillen; nicht, daß jeder unter seinem Weinstock und Feigenbaum Gott loben, sondern daß sie deren edle Früchten mit guter Ruhe, und in allem Wollust genießen möchten; ich fragte neulich einen grindigen Schneider, ob ich den Frieden geben sollte? Aber er antwortet mir, was er sich drum geheie, er müsse sowohl zu Kriegs- als Friedenszeiten mit der stählernen Stange fechten: Ein solche Antwort kriegte ich auch von einem Rotgießer, der sagte, wenn er im Frieden keine Glocken zu gießen hätte, so hätte er im Krieg genug mit Stücken und Feuermörseln zu tun. Also antwortet mir auch ein Schmied, und sagte: ›Habe ich keine Pflüg und Baurenwägen im Krieg zu beschlagen, so kommen mir jedoch genug Reuterpferd und Heerwägen unter die Händ, also daß ich des Friedens wohl entbehren kann.‹ Siehe nun, lieber Mercuri, warum sollte ich ihnen dann den Frieden verleihen? Ja, es sind zwar etliche die ihn wünschen, aber nur wie gesagt, um ihres Bauchs und Wollust willen; hingegen aber sind auch andere, die den Krieg behalten wollen, nicht zwar weil es mein Will ist, sondern weil er ihnen einträgt; und gleichwie die Mäurer und Zimmerleut den Frieden wünschen, damit sie in Auferbauung der eingeäscherten Häuser Geld verdienen, also verlangen andere, die sich im Frieden mit ihrer Hand Arbeit nicht zu ernähren getrauen, die Kontinuation des Kriegs, in selbigem zu stehlen.« [...]

Von diesem Wirrkopf kann er über seine Familie und sein Geld nichts Rechtes erfahren, so reist er weiter nach Lippstadt. Dort tritt er verkleidet auf und erkundigt sich bei seiner Schwägerin nach sich selbst. Er erfährt, daß seine Frau bei der Geburt eines Sohnes gestorben und daß das Kölner Vermögen für ebendiesen Sohn bereits geholt ist. Im ganzen bekommt er wenig Schmeichelhaftes über sich zu hören. Nachdem er seinen Sohn noch gesehen hat, macht er sich unerkannt wieder davon.

## Das VI. und VII. Kapitel

Nach Grießbach zurückgekehrt, findet Simplicius einen sehr kranken Herzbruder vor. Das hindert ihn aber nicht, ein lustiges, ein loses Leben in dem Badeort zu beginnen. – Da stirbt Herzbruder. Simplicius ist von dem Verlust getroffen und will sich in die Einsamkeit zurückziehen. Doch das bleibt ein Plan: er lernt ein hübsches Bauernmädchen kennen und meint, ohne sie nicht leben zu können.

## Aus dem VIII. Kapitel

Nun kauft er in der Nähe des Badeortes von seinen Ersparnissen einen Bauernhof und heiratet ohne viel zu überlegen. Doch die böse Überraschung folgt: seine Frau ist dumm und faul. Daraufhin hält es ihn wenig daheim, er vergnügt sich statt dessen lieber mit den Badegästen.

Einsmals spazierte ich mit etlichen Stutzern das Tal hinunder, eine Gesellschaft im undern Bad zu besuchen; da begegnet uns ein alter Baur, mit einer Geiß am Strick, die er verkaufen wollte; und weil mich dünkte, ich hätte dieselbe

124

Person mehr gesehen, fragte ich ihn, wo er mit dieser Geiß herkäme? Er aber zoge sein Hütlein ab und sagte: »Gnädiger Hearr, eich darffs auch werlich neit sahn.« Ich sagte: »Du wirst sie ja nicht gestohlen haben?« »Nein«, antwortder Baur, »sondern ich bring sie aus dem Städtgen unden im Tal, welches ich eben gegen dem Herrn nicht nennen darf, dieweil wir vor einer Geiß reden«: Solches bewegte meine Gesellschaft zum Lachen, und weil ich mich im Angesicht entfärbte, gedachten sie, ich hätte ein Verdruß, oder schämte mich, weil mir der Baur so artlich eingeschenkt; aber ich hatte andere Gedanken; dann an der großen Warzen, die der Baur gleichsam wie das Einhorn mitten auf der Stirn stehen hatte, wurde ich eigentlich versichert, daß es mein Knan aus dem Spessert war, wollte derhalben zuvor einen Wahrsager agieren, ehe ich mich ihm offenbare, und mit einem so stattlichen Sohn, als damals meine Kleider ausweisen, erfreuen wollte, sagte derhalben zu ihm: »Mein lieber alter Vatter, seid Ihr nicht im Spessert zu Haus?« »Ja, Hearr«, antwort der Baur; da sagte ich: »Haben Euch nicht vor ungefähr 18 Jahren die Reuter Euer Haus und Hof geplündert und verbrennt?« »Ja, Gott erbarms«, antwortet der Baur, »es ist aber noch nicht so lang.« Ich fragte weiter: »Habt Ihr nicht damals zwei Kinder, nämlich eine erwachsene Tochter, und einen jungen Knaben gehabt, der Euch der Schaf gehütet?« »Herr«, antwortet mein Knan, »die Tochter war mein Kind, aber der Bub nicht; ich hab ihn aber an Kindes Statt aufziehen wollen.« Hieraus verstunde ich wohl, daß ich dieses groben Knollfinken Sohn nicht sei, welches mich einsteils erfreute, hingegen aber auch betrübte, weil mir zugefallen, ich müßte sonsten ein Bankert oder Findling sein; fragte derowegen meinen Knan, wo er dann denselben Buben aufgetrieben? oder was er vor Ursach gehabt, denselben an Kinds Statt zu erziehen? »Ach«, sagte er, »es ist mir seltsam mit ihm gangen; der Krieg hat mir ihn geben, und der Krieg hat mir ihn wieder genommen.« Weil ich dann besorgte, es dörfte wohl ein Fazit herauskommen, das mir wegen meiner Geburt nachteilig sein möchte, verwendet ich meinen Diskurs wieder auf die Geiß, und fragte, ob er sie der Wirtin in die Küche verkauft hätte? das mich befremde, weil die Saurbrunnengäst kein alt Geißenfleisch zu genießen pflegten. »Ach nein Herr«, antwort der Baur, »die Wirtin hat selber Geißen genug und gibt auch nichts vor ein Ding; ich bring sie der Gräfin, die im Saurbrunnen badet, und ihr der Doktor Hans in allen Gassen etliche Kräuter geordnet, so die Geiß essen muß, und was sie dann vor Milch darvon gibt, die nimmt der Doktor, und macht der Gräfin noch so ein Ärtznei drüber, so muß sie die Milch trinken und wieder gesund darvon werden; man saht, es mangel der Gräfin am Gehenk, und wenn ihr die Geiß hilft, so vermag sie mehr als der Doktor und seine Abdecker miteinanger.« Unter währender solcher Relation besann ich, auf was Weis ich mehr mit dem Baurn reden möchte, botte ihm derhalben einen Taler mehr um die Geiß, als der Doktor oder die Gräfin darum geben wollten; solches gieng er gleich ein (dann ein geringer Gewinn persuadiert die Leut bald anders) doch mit dem Beding, er sollte der Gräfin zuvor anzeigen, daß ich ihm ein Taler mehr darauf geboten; wollte sie dann so viel drum geben als ich, so sollte sie den Vorkauf haben, wo nicht, so wollte er mir die Geiß zukommen lassen, und wie der Handel stünde, auf den Abend anzeigen.

Also gieng mein Knan seines Wegs, und ich mit meiner Gesellschaft den unserigen auch; doch konnte und mochte ich nit länger bei der Kompagnie bleiben, sondern drehte mich ab, und gieng hin, wo ich meinen Knan wiederfand; der hatte seine Geiß noch, weil ihm andere nicht so viel als ich drum geben wollten, welches mich an so reichen Leuten wunderte, und doch nit kärger machte; ich führte ihn auf meinen neuerkauften Hof, bezahlte ihm seine Geiß, und nachdem ich ihme einen halben Rausch angehenkt, fragte ich ihn, woher ihm derjenige Knab zugestanden wäre, von dem wir heut geredet? »Ach Herr«, sagte er, »der Mansfelder Krieg hat mir ihn beschert, und die Nördlinger Schlacht hat mir ihn wieder genommen.« Ich sagte: »Das muß wohl ein lustige Histori sein«, mit Bitt, weil wir doch sonst nichts zu reden hätten, er wollte mirs doch vor die lange Weil erzählen: Darauf fieng er an und sagte: »Als der Mansfelder bei Höchst die Schlacht verlor, zerstreute sich sein flüchtig Volk weit und breit herum, weil sie nit alle wußten, wohin sie sich retirieren sollten; viel kamen in Spessert, weil sie die Büsch suchten, sich zu verbergen; aber indem sie dem Tod auf der Ebne entgiengen, fanden sie ihn bei uns in den Bergen, und weil beide kriegende Teil vor billich achteten, einander auf unserm Grund und Boden zu berauben und niederzumachen, griffen wir ihnen auch auf die Hauben; damals gieng selten ein Bauer in den Büschen ohne Feurrohr, weil wir zu Haus bei unsern Hauen und Pflügen nit bleiben konnten; in demselben Tumult bekam ich nicht weit von meinem Hof in einem wilden ungeheuren Wald ein schöne junge Edelfrau, samt einem stattlichen Pferd, als ich zuvor nit weit darvon etliche Büchsenschuß gehört hatte; ich sahe sie anfänglich vor einen Kerl an, weil sie so mannlich daherritte, aber indem ich sie beides, Händ und Augen gegen dem Himmel aufheben sahe und auf Welsch mit einer erbärmlichen Stimm zu Gott rufen hörte, ließ ich mein Rohr, damit ich Feur auf sie geben wollte, sinken, und zog den Hahnen wieder zurück, weil mich ihr Geschrei und Gebärden versicherten, daß sie ein betrübtes Weibsbild wäre; mithin näherten wir uns einander, und da sie mich sahe, sagte sie: ›Ach! wann Ihr ein ehrlicher Christenmensch seid, so bitte ich Euch um Gottes und seiner Barmherzigkeit, ja um des Jüngsten Gerichts willen, vor welchem wir alle um unser Tun und Lassen Rechenschaft geben müssen, Ihr wollet mich zu ehrlichen Weibern führen, die mich durch göttliche Hülf von meiner Leibesbürde entledigen helfen!‹ Diese Wort, die mich so großer Ding erinnerten, samt der holdseligen Aussprach, und zwar betrübten doch überaus schönen und anmutigen Gestalt der Frauen, zwangen mich zu solcher Erbärmde, daß ich ihr Pferd beim Ziegel nahm, und sie durch Hecken und Stauden, an den allerdicksten Ort des Gesträuchs führte, da ich selbst mein Weib, Kind, Gesind und Viehe hingeflehnt hatte; daselbst genas sie, ehender als in einer halben Stund, desjeni-

127

gen jungen Knaben, von dem wir heut miteinander geredet haben.«

Hiemit beschloß mein Knan seine Erzählung, weil er eins trank, dann ich sprach ihm gar gütlich zu; da er aber das Glas ausgeleeret hatte, fragte ich: »Und wie ists darnach weiter mit der Frauen gangen?« Er antwortet: »Als sie dergestalt Kindbetterin worden, bat sie mich zu Gevattern, und daß ich das Kind ehistes zum Tauf fürdern wollte, sagte mir auch ihres Manns und ihren Namen, damit sie möchten in das Taufbuch geschrieben werden; und indem tät sie ihr Felleisen auf, darinnen sie wohl köstliche Sachen hatte, und schenkte mir, meinem Weib und Kind, der Magd und sonst noch einer Frauen so viel, daß wir wohl mit ihr zufrieden sein können; aber indem sie so damit umgieng, und uns von ihrem Mann erzählte, starb sie uns unter den Händen, als sie uns ihr Kind zuvor wohl befohlen hatte: weil es dann nun so gar ein großer Lärmen im Land war, daß niemand bei Haus bleiben konnte, vermachten wir kaum ein Pfarrherrn, der bei der Begräbnus ware, und das Kind taufte; da aber endlich beides geschehen, wurde mir von unserm Schulzen und Pfarrherrn befohlen, ich sollte das Kind aufziehen bis es groß würd, und vor meine Mühe und Kosten der Frauen ganze Verlassenschaft behalten, ausgenommen etliche Paternoster, Edelgestein und so Geschmeiß, welches ich vor das Kind aufbehalten sollte; also ernährte mein Frau das Kind mit Geißmilch, und wir behielten den Buben gar gern und dachten, wir wollten ihm, wann er groß würde, unser Mägden zur Frauen geben; aber nach der Nördlinger Schlacht habe ich beides, das Mägdlein und den Buben verloren, samt allem dem was wir vermochten.«

»Ihr habt mir«, sagte ich zu meinem Knan, »ein artliche Geschicht erzählt und doch das Best vergessen; dann Ihr habt nicht gesagt weder wie die Frau, noch ihr Mann oder das Kind geheißen.« »Herr«, antwortet er, »ich hab nicht gemeint, daß Ihrs auch gern hättet wissen mögen; die Edelfrau hieße Susanna Ramsi, ihr Mann Kapitän Sternfelß von Fuchsheim; und weil ich Melchior hieße, so ließe ich den

128

Buben bei der Taufe auch Melchior Sternfelß von Fuchsheim nennen, und ins Taufbuch schreiben.«

Hieraus vernahm ich umständlich, daß ich meines Einsiedlers
und des Gubernators Ramsay Schwester leiblicher Sohn gewesen, aber ach leider viel zu spat, dann meine Eltern waren beide tot, und von meinem Vetter Ramsay konnte ich
anders nichts erfahren, als daß die Hanauer ihn mitsamt
der schwedischen Garnison ausgeschafft hätten, weswegen er
dann vor Zorn und Ungedult ganz unsinnig worden wäre.

Ich deckte meinen Pettern vollends mit Wein zu, und ließe
den andern Tag sein Weib auch holen; da ich mich ihnen nun
offenbarte, wollten sie es nicht ehe glauben, bis ich ihnen
zuvor einen schwarzen haarigen Flecken aufgewiesen, den
ich vornen auf der Brust hatte.


### Das IX. bis XIII. Kapitel

Simplicius reist nun mit dem Knan in den Spessart und verschafft sich bei dem mit ihm seit seiner Hanauer Zeit befreundeten
Pfarrer Unterlagen über seine Herkunft.

Seine Frau fügt zu ihren bisherigen Eigenschaften jetzt noch das
Laster des Trinkens hinzu. Das führt dazu, daß sie und ihrer
beider Kind bald nach der Geburt sterben. So ist Simplicius
wieder allein. Der inzwischen verwahrloste Hof wird von Simplicius' Pflegeeltern übernommen und wieder in Schuß gebracht.

Eines Tages hört nun Simplicius merkwürdige Dinge über den
Mummelsee. Seine Neugierde wird aufs höchste gereizt, und er
macht sich auf zu dem See. Am See erscheinen ihm die Wasser-
geister, und der Fürst vom Mummelsee führt ihn selbst in die
Mitte der Erde zum König der Gewässer.


### Aus dem XIV. Kapitel

Während dieser Wanderung durch das Innere der Erde erfährt
Simplicius allerlei Geheimnisvolles. Doch macht der Fürst im
Gespräch mit Simplicius den Menschen auch heftige Vorwürfe.

»Wir verwundern uns an euch nichts mehrers, als daß ihr euch, da ihr doch zum ewigen seligen Leben und den unendlichen himmlischen Freuden erschaffen, durch die zeitliche und irdische Wollüste, die doch so wenig ohne Unlust und Schmerzen, als die Rosen ohne Dörner sind, dergestalt betören laßt, daß ihr dadurch euer Gerechtigkeit am Himmel verlieret, euch der fröhlichen Anschauung des allerheiligsten Angesichts Gottes beraubt, und zu den verstoßenen Engeln in die ewige Verdammnus stürzet! Ach möchte unser Geschlecht an eurer Stell sein, wie würde sich jeder befleißen, in dem Augenblick eurer nichtigen und flüchtigen Zeitlichkeit die Prob besser zu halten, als ihr, denn das Leben so ihr habt, ist nit euer Leben, sondern euer Leben oder der Tod wird euch erst gegeben, wenn ihr die Zeitlichkeit verlaßt; das aber, was ihr das Leben nennet, ist gleichsam nur ein Moment und Augenblick, so euch verliehen ist, Gott darin zu erkennen, und ihme euch zu nähern, damit er euch zu sich nemmen möge; dannenhero halten wir die Welt vor einen Probierstein Gottes, auf welcher der Allmächtige die Menschen, gleichwie sonst ein reicher Mann das Gold und Silber probiert, und nachdem er ihren Valor am Strich befindet, oder nachdem sie sich durch Feuer läutern lassen, die gute und feine Gold- und Silbersorden in seinen himmlischen Schatz leget, die böse und falsche aber ins ewige Feuer wirft, welches euch dann euer Heiland und unser Schöpfer mit dem Exempel vom Weizen und Unkraut genugsam vorgesagt und offenbaret hat.«

## Das XV. Kapitel

Dies war das End unsers Gesprächs, weil wir uns dem Sitz des Königs näherten, vor welchen ich ohne Zeremonien oder Verlust einiger Zeit hingebracht wurde: Da hatte ich nun wohl Ursach, mich über Seine Majestät zu verwundern, da ich doch weder eine wohlbestellte Hofhaltung noch einiges Gepräng, ja aufs wenigst keinen Kanzler oder geheime Rät, noch einigen Dolmetschen, oder Trabanten und Leibguardi, ja sogar keinen Schalksnarrn, noch Koch, Keller, Page, noch einigen Favoriten oder Dellerlecker nicht sahe; sondern rings um ihn her schwebten die Fürsten über alle See, die sich in der ganzen Welt befinden, ein jedweder in derjenigen Landsart aufziehend, in welches sich ihr unterhabender See von dem centro terrae aus erstreckte; dannenhero sahe ich zugleich die Ebenbilder der Chineser und Afrikaner, Troglodyten und Novazembler, Tartarn und Mexikaner, Samogeden und Molukkenser; ja auch von denen, so unter den polis arctico und antarctico wohnen, das wohl ein seltsames Spektakul war; die zween, so über den wilden und schwarzen See die Inspektion trugen, waren allerdings bekleidet wie der, so mich convoyiert, weil ihre See zunächst am Mummelsee gelegen; zog also derjenige, so über den Pilatussee die Obsicht trug, mit einem breiten ehrbaren Bart und einem Paar Bloderhosen auf, wie ein reputierlicher Schweizer, und derjenige, so über den obgemeldeten See Camarina die Aufsicht hatte, sahe beides, mit Kleidern und Gebärden einem Sicilianer so ähnlich, daß einer tausend Eid geschworen hätte, er wäre noch niemalen aus Sicilia kommen, und könnte kein teutsches Wort; also sahe ich auch, wie in einem Trachtenbuch, die Gestalten der Perser, Japonier, Moskowiter, Finnen, Lappen, und aller andern Nationen in der ganzen Welt.

Ich bedorfte nit viel Komplimenten zu machen, dann der König fienge selbst an sein gut Teutsch mit mir zu reden, indem sein erstes Wort war, daß er fragte: »Aus was Ursach hast du dich unterfangen, uns gleichsam ganz mutwilligerweis so einen Haufen Stein zuzuschicken?« Ich antwortet kurz: »Weil bei uns einem jeden erlaubt ist, an einer verschlossenen Tür anzuklopfen.« Darauf sagte er: »Wie, wenn du aber den Lohn deiner fürwitzigen Importunität empfiengest?« Ich antwortet: »Ich kann mit keiner größern Straf belegt werden, als daß ich sterbe; sintemal ich aber seithero so viel Wunder erfahren und gesehen, die unter so viel Millionen Menschen keiner das Glück nit hat, würde mir mein

Sterben ein geringes, und mein Tod vor gar keine Straf zu rechnen sein.« »Ach elende Blindheit!« sagte hierauf der König, und hub damit die Augen auf, gleichwie einer der aus Verwunderung gen Himmel schauet, ferner sagend: »Ihr Menschen könnt nur einmal sterben, und ihr Christen solltet den Tod nit eher getrost zu überstehen wissen, ihr wäret dann vermittelst eures Glaubens und Liebe gegen Gott durch eine unzweifelhafte Hoffnung versichert, daß eure Seelen das Angesicht des Höchsten eigentlich anschauen würden, sobald der sterbende Leib die Augen zutäte: Aber ich habe vor dieses Mal weit anders mit dir zu reden.«

Darauf sagte er: »Es ist mir referiert worden, daß sich die irdische Menschen, und sonderlich ihr Christen des Jüngsten Tages ehistes versehen, weilen nicht allein alle Weissagung, sonderlich was die Sybillen hinterlassen, erfüllt, sondern auch alles was auf Erden lebt, den Lastern so schröcklich ergeben seie: also daß der allmächtige Gott nicht länger verziehen werde, der Welt ihr Endschaft zu geben; weilen dann nun unser Geschlecht mitsamt der Welt untergehen, und im Feur (wiewohl wir des Wassers gewohnt sein) verderben muß, als entsetzten wir sich nit wenig wegen Zunahung solcher erschröcklichen Zeit; haben dich derowegen zu uns holen lassen, um zu vernehmen, was etwan deswegen vor Sorg oder Hoffnung zu machen sein möchte? wir zwar können aus dem Gestirn noch nichts dergleichen abnehmen, auch nichts an der Erdkugel vermerken, daß ein so nahe Veränderung obhanden seie; müssen sich derowegen wir von denen benachrichtigen lassen, welchen hiebevor ihr Heiland selbsten etliche Wahrzeichen seiner Zukunft hinterlassen, ersuchen dich derowegen ganz holdselig, du wollest uns bekennen, ob derjenige Glaub noch auf Erden sei oder nit, welchen der zukünftige Richter bei seiner Ankunft schwerlich mehr finden wird?« Ich antwortet dem König, er hätte mich Sachen gefragt, die mir zu beantworten viel zu hoch seien, zumaln Künftigs zu wissen: und sonderlich die Ankunft des Herrn allein Gott bekannt. »Nun wohlan dann«, antwortet der König hinwiederum, »so sage mir dann, wie sich die Stände der Welt in ihrem Beruf halten, damit ich daraus entweder der Welt und unsers Geschlechts Untergang: Oder gleich meinen Worten mir und den Meinigen ein langes Leben und glückselige Regierung konjekturieren könnte; hingegen will ich dich sehen lassen, was noch wenig zu sehen bekommen, und hernach mit einer solchen Verehrung abfertigen, deren du dich dein Lebtag zu erfreuen haben wirst, wann du mir nur die Wahrheit bekennest.« Als ich nun hierauf stillschwiege und mich bedachte, fuhr der König ferner fort und sagte: »Nun dran, dran, fang am Höchsten an und beschließe es am Niedersten, es muß doch sein, wann du anders wieder auf den Erdboden willst.«

Ich antwortet: »Wann ich an dem Höchsten anfahen soll, so mach ich billich den Anfang an den Geistlichen; dieselbe nun seind gemeiniglich alle, sie seien auch gleich was vor Religion sie immer wollen, wie sie Eusebius in einer Sermon beschrieben, nämlich rechtschaffene Verächter der Ruhe, Vermeider der Wollüste, in ihrem Beruf begierig zur Arbeit, geduldig in Verachtung, ungeduldig zur Ehr, arm an Hab und Geld, reich am Gewissen, demütig gegen ihren Verdiensten, und hochmütig gegen den Lastern; und gleichwie sie sich allein befleißen Gott zu dienen, und auch andere Menschen mehr durch ihr Exempel als ihre Wort zum Reich Gottes zu bringen; also haben die weltliche hohe Häupter und Vorsteher allein ihr Absehen auf die liebe Justitiam, welche sie dann ohne Ansehen der Person einem jedwedern, Arm und Reich, durch die Bank hinaus schnurgerad erteilen und widerfahren lassen: Die Theologi sind gleichsam lauter Hieronymi und Bedae, die Kardinäl eitel Borromaei, die Bischöfe Augustini, die Äbte andere Hylariones und Pachomi, und die übrige Religiosen miteinander wie die Kongregation der Eremiten in der thebanischen Wildnus! Die Kaufleute handlen nicht aus Geiz, oder um Gewinns willen, sondern damit sie ihren Nebenmenschen mit ihrer War, die sie zu solchem Ende aus fernen Landen herbringen, bedient sein können: Die Wirte treiben nicht deswegen ihre Wirtschaften, reich zu werden, sondern damit sich der Hungerige, Durstige und Reisende bei ihnen erquicken, und sie die Bewirtung als ein Werk der Barmherzigkeit an den müden und kraftlosen Menschen üben können: Also sucht der Medikus nicht seinen Nutz, sondern die Gesundheit seines Patienten, wohin dann auch die Apothecker zielen: Die Handwerker wissen von keinen Vörteln, Lügen und Betrug, sondern befleißigen sich, ihre Kunden mit daurhafter und rechtschaffener Arbeit am besten zu versehen: Den Schneidern tut nichts Gestohlenes im Aug wehe, und die Weber bleiben aus Redlichkeit so arm, daß sich auch keine Mäus bei ihnen ernähren können, denen sie etwan ein Knäul Garn nachwerfen müßten: Man weiß von keinem Wucher, sondern der Wohlhäbige hilft dem Dürftigen aus christlicher Liebe ganz ohngebetten: Und wenn ein Armer nicht zu bezahlen hat, ohne merklichen Schaden und Abgang seiner Nahrung, so schenkt ihm der Reich die Schuld von freien Stücken: Man spüret keine Hoffart, denn jeder weiß und bedenkt, daß er sterblich ist: Man merket keinen Neid, denn es weiß und erkennet je einer den andern vor ein Ebenbild Gottes, das von seinem Schöpfer geliebet wird: Keiner erzörnt sich über den andern, weil sie wissen, daß Christus vor alle gelitten und gestorben: Man höret von keiner Unkeuschheit oder unordentlichen fleischlichen Begierden, sondern was so vorgehet, das geschicht aus Begierd und Liebe zur Kinderzucht: Da findet man keine Trunkenbold oder Vollsäufer, sondern wenn einer den andern mit einem Trunk ehret, so lassen sich beide nur mit einem christlichen Räuschlein begnügen: Da ist keine Trägheit im Gottesdienst, denn jeder erzeigt einen emsigen Fleiß und Eifer, wie er vor allen andern Gott rechtschaffen dienen möge; und eben deswegen sind jetzund so schwäre Krieg auf Erden, weil je ein Teil vermeint, das andere diene Gott nicht recht: Es gibt keine Geizige mehr, sondern Gesparsame; keine Verschwender, sondern Freigebige; keine Kriegsgurgeln, so die Leut berauben und verderben, sondern Soldaten, die das Vatterland beschirmen; keine mutwillige faule Bettler, sondern Verächter der Reichtum, und Liebhaber der freiwilligen Armut; keine Korn- und Weinjuden,

sondern vorsichtige Leut, die den überflüssigen Vorrat auf
den besorgenden künftigen Notfall vor das Volk zusammenheben.«

## Das XVI. bis XXII. Kapitel

Als Abschiedsgeschenk erhält Simplicius vom König einen Wun-
derstein, mit dessen Hilfe auf seinem Hof eine Mineralque'le
sprudeln soll. Simplicius gelangt wieder an die Erdoberfläche
zurück und bringt es alsbald fertig, daß sein Sauerbrunnen am
falschen Ort sprudelt: bei Holzfällern in einem Wald, der
»Muckenloch« genannt wird. Heimgekehrt beginnt er sich wieder
den Büchern zu widmen.
Doch bald läßt er sich von einem schwedischen Obersten verleiten,
mit nach Rußland zu gehen. Nach Reisen durch Rußland wird er
von Tataren entführt und kommt nach Korea und Japan. Auf
abenteuerlichen Wegen gelangt er über Alexandria, Konstantinopel und Venedig nach Rom. Von dort findet er endlich zu seinem
Knan in den Schwarzwald zurück.

Ich brachte nichts Besonders mit heim, als einen Bart, der
mir in der Fremde gewachsen war.
Ich war drei Jahr und etlich Monat ausgewesen, in welcher
Zeit ich etliche unterschiedliche Meer überfahren, und vieler-
lei Völker gesehen, aber bei denenselben gemeiniglich mehr
Böses als Gutes empfangen, von welchem allem ein großes
Buch zu schreiben wäre; indessen war der teutsche Fried geschlossen worden, also daß ich bei meinem Knan in sicherer
Ruhe leben konnte; denselben ließe ich sorgen und hausen,
ich aber setzte mich wieder hinder die Bücher, welches dann
beides meine Arbeit und Ergötzung war.

## Das XXIII. Kapitel

Ich lase einsmals, wasmaßen das Oraculum Apollinis den
römischen Abgesandten, als sie fragten was sie tun müßten,
damit ihre Untertanen friedlich regiert würden, zur Ant-

wort geben: Nosce te ipsum, das ist, es sollte sich jeder selbst erkennen: Solches machte daß ich mich hindersonne, und von mir selbst Rechnung über mein geführtes Leben begehrte, weil ich ohnedas müßig war; da sagte ich zu mir selber: »Dein Leben ist kein Leben gewesen, sondern ein Tod; deine Tage ein schwerer Schatten, deine Jahr ein schwerer Traum, deine Wollüst schwere Sünden, deine Jugend eine Phantasei, und deine Wohlfahrt ein Alchimistenschatz, der zum Schornstein hinausfährt, und dich verläßt, ehe du dich dessen versiehest! du bist durch viel Gefährlichkeiten dem Krieg nachgezogen, und hast in demselbigen viel Glück und Unglück eingenommen, bist bald hoch bald nieder, bald groß bald klein, bald reich bald arm, bald fröhlich bald betrübt, bald beliebt bald verhaßt, bald geehrt und bald veracht gewesen: Aber nun du o mein arme Seel was hast du von dieser ganzen Reis zuwegen gebracht? dies hast du gewonnen: Ich bin arm an Gut, mein Herz ist beschwert mit Sorgen, zu allem Guten bin ich faul, träg und verderbt, und was das allerelendeste, so ist mein Gewissen ängstig und beschwert, du selbsten aber bist mit vielen Sünden überhäuft und abscheulich besudelt! der Leib ist müd, der Verstand verwirret, die Unschuld ist hin, mein beste Jugend verschlissen, die edle Zeit verloren, nichts ist das mich erfreuet, und über dies alles, bin ich mir selber feind; als ich nach meines Vattern seligen Tod in diese Welt kam, da war ich einfältig und rein, aufrecht und redlich, wahrhaftig, demütig, eingezogen, mäßig, keusch, schamhaftig, fromm und andächtig; bin aber bald boshaftig, falsch, verlogen, hoffärtig, unruhig, und überall ganz gottlos worden, welche Laster ich alle ohne einen Lehrmeister gelernet; ich nahm meine Ehr in acht, nicht ihrer selbst, sondern meiner Erhöhung wegen; ich beobachtet die Zeit, nicht solche zu meiner Seligkeit wohl anzulegen, sondern meinem Leib zunutz zu machen; ich hab mein Leben vielmal in Gefahr geben, und hab mich doch niemal beflissen solches zu bessern, damit ich auch getrost und selig sterben könnte; ich sahe nur auf das Gegenwärtige und meinen zeitlichen Nutz, und gedachte nicht einmal an das Künftige, viel weniger, daß ich dermaleins vor Gottes Angesicht müßte Rechenschaft geben!« Mit solchen Gedanken quälte ich mich täglich, und eben damals kamen mir etliche Schriften des Guevarae unter die Hände, darvon ich etwas hieher setzen muß, weil sie so kräftig waren, mir die Welt vollends zu erleiden. Diese lauteten also:

## Das XXIV. Kapitel

»Adjeu Welt, dann auf dich ist nicht zu trauen, noch von dir nichts zu hoffen, in deinem Haus ist das Vergangene schon verschwunden, das Gegenwärtige verschwindet uns unter den Händen, das Zukünftige hat nie angefangen, das Allerbeständigste fällt, das Allerstärkste zerbricht, und das Allerewigste nimmt ein End; also, daß du ein Toter bist unter den Toten, und in hundert Jahren läßt du uns nicht eine Stund lebene.

Adjeu Welt, denn du nimmst uns gefangen, und läßt uns nicht wieder ledig, du bindest uns, und lösest uns nicht wieder auf; du betrübest und tröstest nit, du raubest, und gibest nichts' wieder, du verklagest uns, und hast keine Ursach, du verurteilest, und hörest keine Partei; also daß du uns tötest ohne Urteil, und begräbest uns ohne Sterben! Bei dir ist keine Freud ohne Kummer, kein Fried ohne Uneinigkeit, keine Lieb ohne Argwohn, keine Ruhe ohne Forcht, keine Fülle ohne Mängel, keine Ehr ohne Makel, kein Gut ohne bös Gewissen, kein Stand ohne Klag, und keine Freundschaft ohne Falschheit.

Adjeu Welt, dann in deinem Palast verheißet man ohne Willen zu geben, man dienet ohne Bezahlen, man liebkoset, um zu töten, man erhöhet, um zu stürzen, man hilft, um zu fällen, man ehret, um zu schänden, man entlehnet, um nicht wiederzugeben, man straft, ohne Verzeihen.

Behüt dich Gott Welt, dann in deinem Haus werden die große Herren und Favoriten gestürzt, die Unwürdige herfürgezogen, die Verräter mit Gnaden angesehen, die Getreue in Winkel gestellt, die Boshaftige ledig gelassen, und die Unschuldige verurteilt; den Weisen und Qualifizierten gibt man Urlaub, und den Ungeschickten große Besoldung, den Hinderlistigen wird geglaubt, und die Aufrichtige und Redliche haben keinen Kredit, ein jeder tut was er will, und keiner was er tun soll.

Adjeu Welt, dann in dir wird niemand mit seinem rechten Namen genennet; den Vermessenen nennet man kühn, den Verzagten fürsichtig, den Ungestümmen emsig, und den Nachlässigen friedsam; einen Verschwender nennet man herrlich, und einen Kargen eingezogen; einen hinderlistigen Schwätzer und Plauderer nennet man beredt, und den Stillen einen Narrn oder Phantasten; einen Ehebrecher und Jungfrauenschänder nennet man einen Buhler; einen Unflat nennet man einen Hofmann, einen Rachgierigen nennet man einen Eiferigen, und einen Sanftmütigen einen Phantasten, also daß du uns das Giebige vor das Ungiebige, und das Ungiebige vor das Giebige verkaufest.

Adjeu Welt, dann du verführest jedermann; den Ehrgeizigen verheißest du Ehr, den Unruhigen Veränderung, den Hochtragenden Gnad bei Fürsten, den Nachlässigen Ämter, den Geizhälsen viel Schätze, den Fressern und Unkeuschen Freude und Wollust, den Feinden Rach, den Dieben Heimlichkeit, den Jungen langes Leben, und den Favoriten verheißest du beständige fürstliche Huld.

Adjeu Welt, dann in deinem Palast findet weder Wahrheit noch Treu ihre Herberg! wer mit dir redet wird verschamt, wer dir traut wird betrogen, wer dir folgt wird verführt, wer dich förchtet wird am allerübelsten gehalten, wer dich liebt wird übel belohnt, und wer sich am allermeisten auf dich verläßt, wird auch am allermeisten zuschanden gemacht; an dir hilft kein Geschenk so man dir gibt, kein Dienst so man dir erweist, keine liebliche Wort so man dir zuredet, kein Treu so man dir hält, und keine Freundschaft so man dir erzeigt, sondern du betreugst, stürzest, schändest, besudelst, drohest, verzehrest und vergißt jedermann; dannenhero weinet, seufzet, jammert, klaget und verdirbt jedermann, und jedermann nimmt ein End; bei dir siehet und lernet man nichts, als einander hassen bis zum Würgen, reden bis zum Lügen, lieben bis zum Verzweifeln, handlen bis zum Stehlen, bitten bis zum Betrügen, und sündigen bis zum Sterben.

Behüt dich Gott Welt, dann dieweil man dir nachgehet, verzehret man die Zeit in Vergessenheit, die Jugend mit Rennen, Laufen und Springen über Zaun und Stiege, über Weg und Steg, über Berg und Tal, durch Wald und Wildnus, über See und Wasser, in Regen und Schnee, in Hitz und Kält, in Wind und Ungewitter; die Mannheit wird verzehrt mit Erz Schneiden und Schmelzen, mit Stein Hauen und Schneiden, Hacken und Zimmern, Pflanzen und Bauen, in Gedanken Dichten und Trachten, in Ratschlägen Ordnen, Sorgen und Klagen, in Kaufen und Verkaufen, Zanken, Hadern, Kriegen, Lügen und Betrügen; das Alter verzehrt man in Jammer und Elend, der Geist wird schwach, der Atem schmeckend, das Angesicht runzlicht, die Länge krumm, und die Augen werden dunkel, die Glieder zittern, die Nase trieft, der Kopf wird kahl, das Gehör verfällt, der Geruch verliert sich, der Geschmack geht hinweg, er seufzet und achzet, ist faul und schwach, und hat in Summa nichts als Mühe und Arbeit bis in Tod.

Adjeu Welt, dann niemand will in dir fromm sein, täglich richtet man die Mörder, vierteilt die Verräter, henket die Dieb, Straßenräuber und Freibeuter, köpft Totschläger, verbrennt Zauberer, straft Meineidige, und verjagt Aufrührer.

Behüt dich Gott Welt, dann deine Diener haben kein andere Arbeit noch Kurzweil, als faulenzen, einander vexieren und ausrichten, den Jungfrauen hofieren, den schönen Frauen aufwarten, mit denselben liebäugeln, mit Würfeln und Karten spielen, mit Kupplern traktieren, mit den Nachbarn kriegen, neue Zeitungen erzählen, neue Fünd erdenken, mit dem Judenspieß rennen, neue Trachten ersinnen, neue List aufbringen, und neue Laster einführen.

Adjeu Welt, dann niemand ist mit dir content oder zufrieden; ist er arm, so will er haben; ist er reich, so will er viel gelten; ist er veracht, so will er hoch steigen; ist er injuriert, so will er sich rächen; ist er in Gnaden, so will er viel gebieten; ist er lasterhaftig, so will er nur bei gutem Mut sein.

Adjeu Welt, dann bei dir ist nichts Beständiges; die hohe Türn werden vom Blitz erschlagen, die Mühlen vom Wasser weggeführt, das Holz wird von den Würmen, das Korn von Mäusen, die Früchten von Raupen, und die Kleider von Schaben gefressen, das Viehe verdirbt vor Alter, und der arme Mensch vor Krankheit: Der eine hat den Grind, der ander den Krebs, der dritte den Wolf, der vierte die Franzosen, der fünfte das Podagram, der sechste die Gicht, der siebende die Wassersucht, der achte den Stein, der neunte das Gries, der zehende die Lungensucht, der eilfte das Fieber, der zwölfte den Aussatz, der dreizehende das Hinfallen, und der vierzehende die Torheit! In dir o Welt, tut nicht einer was der ander tut, dann wann einer weinet, so lacht der ander, einer seufzet, der ander ist fröhlich; einer fastet, der ander zechet; einer bankettiert, der ander leidet Hunger; einer reutet, der ander gehet; einer redt, der ander schweigt; einer spielet, der ander arbeitet; und wann der eine geboren wird, so stirbt der ander. Also lebt auch nicht einer wie der ander, der eine herrschet, der ander dienet; einer weidet die Menschen, ein anderer hütet der Schwein; einer folgt dem Hof, der ander dem Pflug; einer reist auf dem Meer, der ander fährt über Land auf die Jahr- und Wochenmärkt; einer arbeit im Feur, der ander in der Erde; einer fischt im Wasser, und der ander fängt Vögel in der Luft; einer arbeitet härtiglich, und der ander stiehlet und beraubet das Land.

O Welt behüt dich Gott, dann in deinem Haus führet man weder ein heilig Leben, noch einen gleichmäßigen Tod; der eine stirbt in der Wiegen, der ander in der Jugend auf dem Bett, der dritte am Strick, der vierte am Schwerd, der fünfte auf dem Rad, der sechste auf dem Scheiterhaufen, der siebende im Weinglas, der achte in einem Wasserfluß, der neunte erstickt im Freßhafen, der zehende erworgt am Gift, der eilfte stirbt gähling, der zwölfte in einer Schlacht, der dreizehende durch Zauberei, und der vierzehende ertränkt seine arme Seele im Dintenfaß.

Behüt dich Gott Welt, dann mich verdreußt deine Konversation; das Leben so du uns gibst, ist ein elende Pilgerfahrt, ein unbeständigs, ungwisses, hartes, rauhes, hinflüchtiges und unreines Leben, voll Armseligkeit und Irrtum, welches vielmehr ein Tod als ein Leben zu nennen; in welchem wir all Augenblick sterben durch viel Gebrechen der Unbeständigkeit und durch mancherlei Weg des Tods! du läßt dich der Bitterkeit nicht genügen, mit deren du umgeben und durchsalzen bist, sondern betreugst noch darzu die meiste mit deinem Schmeicheln, Anreizung und falschen Verheißungen; du gibst aus dem guldenen Kelch, den du in deiner Hand hast, Bitterkeit und Falschheit zu trinken, und machst sie blind, taub, toll, voll und sinnlos, ach wie wohl denen, die dein Gemeinschaft ausschlagen: deine schnelle augenblickliche hinfahrende Freud verachten, dein Gesellschaft verwerfen, und nicht mit einer solchen arglistigen verlornen Betriegerin zugrund gehen; dann du machest aus uns einen finstern Abgrund, ein elendes Erdreich, ein Kind des Zorns, ein stinkendes Aas, ein unreines Geschirr in der Mistgrub, ein Geschirr der Verwesung voller Gestank und Greuel, dann wann du uns lang mit Schmeicheln, Liebkosen, Dräuen, Schlagen, Plagen, Martern und Peinigen umgezogen und gequält hast, so überantwortest du den ausgemergelten Körper dem Grab, und setzest die Seel in ein ungewisse Schanz. Dann obwohl nichts Gewissers ist als der Tod, so ist doch der Mensch nicht versichert, wie, wann und wo er sterben, und (welches das erbärmlichste ist) wo sein Seel hinfahren, und wie es derselben ergehen wird: Wehe aber alsdann der armen Seelen, welche dir, o Welt, hat gedienet, gehorsamt und deinen Lüsten und Uppigkeiten hat gefolgt, dann nachdem eine solche sündige und unbekehrte arme Seel mit einem schnellen und unversehenen Schrecken aus dem armseligen Leib ist geschieden, wird sie nicht wie der Leib im Leben mit Dienern und Befreundten umgeben sein, sondern von der

Schar ihrer allergreulichsten Feinde für den sonderbaren Richterstuhl Christi geführt werden; darum o Welt behüt dich Gott, weil ich versichert bin, daß du dermaleins von mir wirst aussetzen und mich verlassen, nicht allein zwar, wann mein arme Seel vor dem Angesicht des strengen Richters erscheinen, sondern auch wann das allerschröcklichste Urteil: *Gehet hin ihr Vermaledeite ins ewige Feuer,* etc. gefällt und ausgesprochen wird.

Adjeu o Welt, o schnöde arge Welt, o stinkendes elendes Fleisch, dann von deinetwegen und um daß man dir gefolget, gedienet und gehorsamet hat, so wird der gottlos Unbußfertig zur ewigen Verdammnus verurteilt, in welcher in Ewigkeit anders nichts zu gewarten, als anstatt der verbrachten Freud, Leid ohne Trost, anstatt des Zechens, Durst ohne Labung, anstatt des Fressens, Hunger ohne Fülle, anstatt der Herrlichkeit und Prachts, Finsternus ohne Liecht, anstatt der Wollüste, Schmerzen ohne Linderung, anstatt des Dominierens und Triumphierens, Heulen, Weinen und Weheklagen ohne Aufhören, Hitz ohne Kühlung, Feuer ohne Leschung, Kält ohne Maß, und Elend ohne End.

Behüt dich Gott o Welt, dann anstatt deiner verheißenen Freud und Wollüste werden die böse Geister an die unbußfertige verdammte Seel Hand anlegen und sie in einem Augenblick in Abgrund der Höllen reißen; daselbst wird sie anders nichts sehen und hören, als lauter erschröckliche Gestalten der Teufel und Verdammten, eitele Finsternus und Dampf, Feuer ohne Glanz, Schreien, Heulen, Zähnklappern und Gottslästern; alsdann ist alle Hoffnung der Gnad und Milterung aus, kein Ansehen der Person ist vorhanden, je höher einer gestiegen, und je schwerer einer gesündiget, je tiefer er wird gestürzt, und je härtere Pein er muß leiden; dem viel geben ist, von dem wird viel gefordert, und je mehr einer sich bei dir, o arge schnöde Welt! hat herrlich gemacht, je mehr schenkt man ihm Qual und Leiden ein, denn also erforderts die göttliche Gerechtigkeit.

Behüt dich Gott o Welt, dann obwohl der Leib bei dir ein Zeitlang in der Erden liegen bleibt und verfaulet, so wird er

doch am Jüngsten Tag wieder aufstehn und nach dem letzten
Urteil mit der Seel ein ewiger Höllenbrand sein müssen;
alsdenn wird die arme Seel sagen: ›Verflucht seist du Welt!
weil ich durch dein Anstiften Gottes und meiner selbst vergessen, und dir in aller Uppigkeit, Bosheit, Sünd und Schand
die Tag meines Lebens gefolgt hab; verflucht sei die Stund,
in deren mich Gott erschuf; verflucht sei der Tag, darin ich
in dir o arge böse Welt geborn bin! O ihr Berg, Hügel und
Felsen fallet auf mich, und verbergt mich vor dem grimmi-
gen Zorn des Lamms, vor dem Angesicht dessen, der auf dem
Stuhl sitzet; ach Wehe und aber Wehe in Ewigkeit!‹
O Welt! du unreine Welt, derhalben beschwöre ich dich, ich
bitte dich, ich ersuche dich, ich ermahne und protestiere
wider dich, du wollest kein Teil mehr an mir haben; und
hingegen begehre ich auch nicht mehr in dich zu hoffen, dann
du weißt, daß ich mir hab fürgenommen, nämlich dieses:
Posui finem curis, spes et fortuna valete.«
Alle diese Wort erwog ich mit Fleiß und stetigem Nachdenken, und bewogen mich dermaßen, daß ich die Welt ver-
ließe, und wieder ein Einsiedel ward: Ich hätte gern bei
meinem Saurbrunnen im Muckenloch gewohnt, aber die
Baurn in der Nachbarschaft wollten es nicht leiden, wiewohl
es vor mich ein angenehme Wildnus war; sie besorgten, ich
würde den Brunnen verraten, und ihre Obrigkeit dahin vermögen, daß sie wegen nunmehr erlangten Friedens Weg und
Steg darzu machen müßten. Begab mich derhalben in eine
andere Wildnus, und fienge mein Spesserter Leben wieder
an; ob ich aber wie mein Vatter sel. bis an mein End darin
verharren werde, stehet dahin. Gott verleihe uns allen seine
Gnade, daß wir allesamt dasjenige von ihm erlangen, woran
uns am meisten gelegen, nämlich ein seliges

ENDE.

S. 5 *Karchelzieher:* Karrenzieher. – *Anichen:* Ahnen. – *Zucker-*
*bastels Zunft:* Zuckerbastel, ein Prager Zuckersieder, war
der Anführer einer Diebesbande. – *Nobilisten:* Adlige. –
*Verlag:* Kapital, Vermögen. – *Leimen:* Lehm.

S. 6 *gebachenen Steinen:* Ziegel. – *Minerva:* röm. Name für
Athene, die griech. Göttin der Künste und Wissenschaften.
Arachne wurde der Sage nach von ihr in eine Spinne verwandelt, weil sie mit der Göttin um die Wette spinnen
wollte. – *Sant Nitglas:* Wortspiel mit St. Niklas. Die Fenster waren aus Papier, das aus Hanf und Flachs hergestellt
wurde, d. h. aus Lumpen. – *Muran:* Stadt in der Lagune
von Venedig. Berühmt durch die Glaserzeugung. – *Liberei:*
Livree, Dienerkleidung. – *Karst:* kurzstielige Hacke mit
breitem Hauzinken, Erdhacke. – *reuten:* roden. – *disciplina*
*militaris:* Kriegshandwerk.

S. 7 *Fortifikationswesen:* Festungsbauwesen. – *Exerzitien:* Übun-
gen. – *Amplistidi:* eigentlich: Amphisteides. Sprichwörtlich
gewordener Dummkopf der griech. Komödie. – *Suidas:*
griech. Grammatiker und Lexikograph des 10. Jahrhunderts. – *Plackscheißerei:* Schreiberei, vgl. engl. ›black‹:
schwarz, ›Blacke‹: Tinte. – *Sackpfeife:* Dudelsack. – *Jalemi-*
*gesäng:* Klagegesänge.

S. 8 *studio legum:* Studium der Gesetze, Jurastudium. – *Digni-*
*tät:* Würde. – *Omen:* Vorzeichen, Vorbedeutung.

S. 9 *Legislator:* Gesetzgeber. – *Bub, biß fleißig . . .:* Bub, sei
fleißig, laß die Schafe nicht zu weit voneinander laufen
und spiel wacker auf der Sackpfeife, daß der Wolf nicht
kommt und Schaden tut, denn der ist ein vierbeiniger
Schelm und Dieb, der Menschen und Vieh frißt, und wenn
du fahrlässig bist, dann will ich dir den Buckel ausklopfen. –
*wey:* wie. – *seyhet:* aussieht. – *geith meich wunner:* nimmt
mich wunder. – *feyerfeussiger:* vierfüßiger. – *maßen:* wes-
halb, weswegen. – *subtil:* genau, sorgsam. – *gut Geschirr*
*machen:* gut aufspielen. – *Krotten:* Kröten. – *vergeben:*
vergiften, man hielt Kröten für giftig. ›Gift‹ ist mit ›geben‹ verwandt, vgl. ›Mitgift‹: das Mitgegebene, das Hei-
ratsgut. – *Vogelsberg:* Gebirge in Hessen. – *Remedium:*
Mittel, Heilmittel.

S. 10 *Podagra:* Gicht.

S. 11 *Courassierer:* Reiter mit Küraß, mit Rüstung. – *wie hiebe-vor die Amerikaner:* die Indianer bei der Eroberung Ame-rikas durch die Spanier. – *Centaur:* Gestalt der griech. Sage, halb Mensch, halb Pferd. – *den Hundssprung weisen:* fort-jagen. – *Gott geb:* was auch immer. – *ketzerlich:* hier gleich-bedeutend mit ›schrecklich‹. – *primum mobile:* philosophi-scher Ausdruck für den Uranfang der Bewegung der Dinge.

S. 12 *Dauben:* Tauben, närrische Einfälle. – *Posterität:* Nach-welt. – *Fahung:* Gefangennahme.

S. 13 *Pankett:* Bankett, Festgelage. – *gülden Fell von Kolchis:* das goldene Widderfell in der Argonautensage. – *Häfen:* Töpfe.

S. 14 *Partei:* kleine Abteilung, berittene Patrouille. – *Stein von den Pistolen:* Feuersteine an den Pistolenschlössern. – *rai-telten:* drehten. – *Bengel:* Stock, Prügel. – *Invention:* Er-findung.

S. 15 *Nova Zembla:* die russische Eismeerinsel Novaja Semlja. – *getrillten:* gequälten. – *Vögelein sie:* ›sie‹ ist hier Akkusa-tiv. – *teils:* zum Teil, einige. – *Junge, kom heröfer . . . :* Junge, komm herüber, oder es soll mich der Teufel holen, wenn ich nicht auf dich schieße, daß dir der Dampf (Atem) zum Hals herausgeht.

S. 16 *vexierte:* ärgerte. – *Klapf:* Knall.

S. 17 *akkommodieret:* eingerichtet, bequem gemacht. – *S. Wil-helmus:* Er ging in Eisenketten auf Pilgerfahrt, lebte im 12. Jahrhundert. – *salviert:* gerettet.

S. 18 *großen Antonio:* Hier wird auf die Versuchung des hl. An-tonius durch den Teufel angespielt. Antonius starb 356 n. Chr. als Einsiedler in Ägypten. – *tribulieren:* quälen. – *retiriert:* zurückgezogen.

S. 19 *Lied:* Die Form dieses Liedes stimmt mit der des Chorals »Wie schön leuchtet der Morgenstern« überein. Aus S. 20 f. geht hervor, daß es nach dieser Melodie vom Einsiedel ge-sungen wurde.

S. 20 *Morgenstern:* Vgl. die vorhergehende Anmerkung.

S. 22 *als:* immer. – *Busem:* Brusttuch. – *Kriechen:* Kricheln, kleine Pflaumenart, Pflaumenschlehe.

S. 23 *Helgen:* Hausaltar oder Heiligenbild. – *Kürbe:* Kirbe, Kirchweih. – *hingekleibt:* hingeklebt.

S. 24 *Weißpfennig:* Silbermünze. – *klitzerechte:* glänzende. – *Schnür voll weißer Kügelein:* Rosenkranz. – *weger:* wahr-lich.

S. 25 *allermaßen:* weil.

S. 26 *Aristot. lib. 3 de Anima:* Aristoteles' Schrift über die Seele.

S. 27 *die Stadt Villingen:* Die badische Stadt wurde 1634 von den Schweden belagert. Durch Stauung der Brigach versuchten die Belagerer die Stadt zu überschwemmen. – *überflüssiger:* überfließender.

S. 28 *Mathusalem:* Methusalem, Großvater Noahs, erreichte nach 1. Mos. 5 das Alter von 969 Jahren. – *Malvasier:* Südwein, benannt nach der Stadt Napoli di Malvasia in Lakonien. – *austrücklich:* dem Wortlaut nach.

S. 29 *Reithaue:* Hacke zum Roden. – *Stockfisch:* eigentlich gedörrter Fisch, Scheltwort für stumpfen, unempfindlichen Menschen.

S. 30 *Beiwohnung:* Umgang, Gemeinschaft. – *funeralia:* Begräbniszeremonien. – *exequias:* Seelenmessen. – *luctus gladiatorios:* wahrscheinlich ludos gl.; in Rom wurden zu Ehren Verstorbener von reichen Hinterbliebenen Gladiatorenspiele veranstaltet. – *Klerisei:* Klerus, Geistlichkeit.

S. 31 *Witz:* Verstand. – *desperieren:* verzweifeln. – *gähling:* plötzlich, vgl. ›jäh‹. – *Cavallier:* Edelmann, Adliger. – *Partisane:* Stoßwaffe mit breiter Klinge. – *gradweis:* stufenweis.

S. 32 *Commissarios:* die mit etwas Beauftragten. – *Besemen:* Ruten, Besen. – *Fatzvögel:* Spaßvögel. – *Gespei:* Gespött. – *raßlen:* würfeln. – *demmen:* prassen.

S. 33 *reputierlich:* ordentlich, ansehnlich. – *gradus:* Stufe. – *Pikenierern:* unterster Rang bei der Infanterie, nur mit Pike bewaffnet. – *Hellenpotzmarter:* Fluch. – *Baumöl geben:* prügeln.

S. 34 *Schmiralia:* Schmiergeld, Bestechung. – *Kontribution:* Kriegssteuer, erzwungene Abgabe. – *Scharge:* Dienstgrad. – *Plankschmeißer:* Plackscheißer, Schreiber, vgl. Anm. zu S. 7.

S. 36 *Vale:* lebe wohl. – *Buchen:* Bucheckern. – *Gelnhausen:* hessische Stadt an der Kinzig, Geburtsort Grimmelshausens. – *hochzeitlich:* festlich. – *Schlacht vor Nördlingen:* am 6. September 1634, Niederlage der Schweden unter Herzog Bernhard von Weimar.

S. 37 *gekampelt:* gekämmt. – *gebüfft:* gekräuselt. – *knappen:* schnappen. – *türkischer Bund:* Turban. – *Habit:* Gewand. – *Schulderkleid:* Überwurf.

S. 38 *spanisch Leibfarb:* rot. – *Fernambuk:* brasilianisches Rot-

147

holz, wurde zum Färben benutzt. – *Samojeden:* mongolische Völkergruppe an der sibirischen Eismeerküste. – *Grönländer:* Grönländer. – *Garküche:* Speisewirtschaft, Restaurant. – *Gubernator:* Festungskommandant.

S. 39 *Galaunen:* Borten, Tressen. – *zwar:* jedoch. – *akkomodieret:* zurechtgemacht. – *kirr:* wohl. – *Postur:* Figur. – *Trophäum:* Siegeszeichen.

S. 40 *Museum:* Studierstube. – *Religioso:* Mönch. – *Schotten:* Schottland. – *Glori:* Größe, Heil. – *verwechseln:* vertauschen. – *ohnverhalten:* nicht vorenthalten.

S. 41 *Schlacht vor Höchst:* am 22. Juni 1622, Herzog Christian von Braunschweig wurde vom kaiserlichen General Tilly geschlagen. – *Mansfelder:* Graf Ernst von Mansfeld (1585 bis 1626), berühmter Feldherr des Dreißigjährigen Krieges.

S. 42 *Verehrungen:* Geschenke. – *männiglich:* jedermann. – *mondierte:* ausstattete. – *Conterfait:* Bild. – *geflehnet:* geflüchtet.

S. 43 *Petschierring:* Siegelring. – *als:* so. – *darfst:* brauchst. – *resolviern:* entschließen.

S. 44 *Kapuzinerkonvent:* Der Kapuzinerorden besitzt die strengste Ordensregel, Konvent heißt soviel wie Kloster. – *Potagen:* Suppen. – *Olla Potriden:* spanisches Nationalgericht aus Gemüse und Fleisch. – *überdummelt:* überpfeffert. – *vermummet:* verändert. – *mixtiert:* gemischt.

S. 45 *Cnäus Manlius:* röm. Konsul um 188 v. Chr., liebte Luxus und war Feinschmecker. – *Circe:* Zauberin aus der »Odyssee«. – *Ulyssis:* Odysseus. – *Trachten:* Gänge, Gerichte. – *Dürmel:* Taumel. – *werklichen:* wunderlichen. – *Minas:* Mienen. – *hotten:* vorwärtskommen.

S. 46 *mit Stücken:* mit Kanonen, hier sind Pistolen gemeint. – *auszuschoppen:* auszustopfen, vollzufüllen.

S. 47 *Pumpes:* Schläge. – *Wetterau:* Landschaft zwischen Taunus und Vogelsberg. – *naut im Schank:* nichts im Brotkasten, Spottwort über die Not der Wetterauer.

S. 48 *Goldschmieds Jung:* entspricht dem ›berühmten‹ Zitat aus Goethes »Götz«, 3. Akt. – *visierlichen:* ansehnlichen.

S. 49 *agieren:* etwas vorspielen. – *Gaukelfuhr:* Narrenzug. – *fielen:* fielen aus. – *benebens:* daneben.

S. 50 *Tracht:* Vgl. Anm. S. 45.

S. 51 *einen Sparrn haben:* nicht ganz normal sein. – *Imagination:*

Einbildung. – *Diskursen:* Gespräche. – *Watt wolts . . .:* Was soll mit diesem Kerl sein? er hat den Teufel im Leib, er ist besessen, der Teufel spricht aus ihm. – *Nabuchodonosor:* Nebukadnezar, babylonischer König (604–561 v. Chr.), wurde nach Daniel 4,29 f. in einen Ochsen verwandelt.

S. 53 *zumal:* zudem. – *Physiognomiam:* die Kunst, aus der Bildung des Gesichts auf die Eigenschaften des Menschen zu schließen.

S. 54 *Chiromantia:* Handlesekunst. – *Fatum:* Schicksal. – *Galleen:* Galeeren. – *Rennschifflein:* Schnellsegler. – *Schelmenbeiner:* knöcherne Würfel.

S. 55 *Schunderer:* Wortspiel mit Schund und Schuldner. – *Scholder:* Glücksspiel, eine Art Roulette, die Veranstalter solcher Spiele waren die Scholderer. – *faselt:* lohnte. – *Marketender:* Händler, der mit der Truppe zog. – *oberländisch:* Die Niederländer waren nach außen gewölbt, die oberländischen Würfel also wohl nach innen. – *bayrische Höhe geben:* von oben werfen.

S. 56 *wippen:* schnellen. – *Äß:* beim Würfelspiel ›Eins‹. – *Dauß:* ›Zwei‹. – *laureten:* listeten.

S. 57 *Kundschaft:* Bekanntschaft. – *Musterschreiber:* Kompanieschreiber. – *Kapitän:* Kompaniechef.

S. 58 *Heimlichkeit:* Geheimnis. – *gedrang tät:* bedrängte. – *Kalender machte:* Pläne machte. – *kommunizierte:* teilte mit. – *tragender Schuldigkeit:* aus Schuldigkeit, die ich ihm gegenüber hatte.

S. 59 *Regimentsschultheiß:* untersuchungführender Jurist bei Militärgerichten. – *Hexentanz:* Simplicius wird auch der Zauberei beschuldigt.

S. 60 *kurios:* neugierig. – *Domine, . . . dignus:* Herr, ich bin nicht würdig. – *dörfte:* brauchte.

S. 61 *Generalauditor:* höchster Beamter des Militärgerichts. – *Profos:* Regimentsscharfrichter. – *Baniersche:* Truppe des schwedischen Generals Johann Banér (1593–1641). – *Battalia:* Schlacht. – *Eskadron:* kleinste Einheit der Kavallerie. – *ohnverblichen:* ohne zu erbleichen. – *im Treffen selbst:* Es handelt sich um die Schlacht bei Wittstock in Brandenburg am 24. September 1636. Vgl. S. 105.

S. 62 *Abscheulichkeit:* schrecklicher Anblick. – *in währendem Leben:* während des Lebens. – *erste Freiheit:* frühere Freiheit. – *Quartier:* Gnade.

S. 63 *bist du der Haar:* hast du solche Haare, bist du so einer.

S. 64 *Ehlen Scharlach:* Ellen Scharlach, roter Wollstoff.

S. 65 *genommen:* zum Anlaß genommen. – *Salvaguardigelder:* Geld für die Schutzwache. – *Lippstadt:* Stadt in Westfalen, an der Lippe. – *Gewehren:* Waffen. – *fix:* geübt. – *Wildbahn:* Gehege für Hoch- und Rehwild.

S. 66 *Vest:* Festung von Recklinghausen, Stadt in Westfalen. – *Caravana:* Karawane, Kaufmannszug.

S. 67 *Kunden:* Kundschafter. – *lateinischer Handwerksgesell:* Student. – *revera:* von lat. ›re vera‹: in Wahrheit. – *Convivium:* Festschmaus, Gastmahl. – *bald:* oft. – *Reverenz:* tiefe Verbeugung, begleitet von lateinischen Höflichkeitsfloskeln.

S. 68 *gekröpft:* sattgegessen. – *o mirum:* o Wunder. – *trostmütig:* getrosten Mutes.

S. 69 *Gelächter:* Spaß. – *Beinhaus:* Hier wurden die Gebeine aus eingeebneten Gräbern aufbewahrt. – *zuwegen:* herbei.

S. 70 *allerdings:* gerade. – *übersich:* hinauf. – *Aktäon:* wurde der griech. Sage nach von der Göttin Artemis, weil er sie im Bade belauscht hatte, in einen Hirsch verwandelt und dann von seinen eigenen Hunden zerrissen. – *rührte:* berührte. – *Springinsfeld:* Freund des Simplicius, tritt hier zum ersten Mal auf. – *Interim:* unterdessen.

S. 71 *Stollen:* Stola. – *Sprengel:* Wedel zum Aussprengen des Weihwassers. – *exorzieren:* beschwören, den Teufel austreiben. – *Tausendhändel:* Unfug. – *plehckte:* blökte.

S. 72 *Klucksen:* Schluckauf. – *das Münkelspiel . . .:* den Mund so sehr vollgestopft hatte.

S. 73 *Rehnen:* Rheine, Stadt an der Ems. – *gewissen:* sichern. – *eingenommen:* ausgestanden. – *auf alle Begebenheit:* bei jeder Gelegenheit.

S. 75 *Börde:* fruchtbare Ebene. – *sich damit kützelten:* sich darüber freuten. – *Windsbraut:* Wirbelwind.

S. 76 *Feuerröhren:* Musketieren. – *Dorsten:* westfälische Stadt, nahe bei Recklinghausen. – *Meerrohr:* spanisches Rohr, aus dieser Rohrart wurden Spazierstöcke hergestellt. – *Numen:* Gottheit. – *Ranzion:* Lösegeld. – *Traktation:* Behandlung. – *dummelt:* bewegte. – *zu hetzen:* aufzuziehen, zu foppen. – *große Gott:* In Soest befand sich ein romanisches Kruzifix mit einem fünf Fuß großen silbernen Christus, der ein goldenes Fürtuch (Lendentuch) trug.

S. 77 *Jove:* Jupiter (falscher Vokativ). – *eitel Sylvani:* lauter Waldgötter. – *Faunis:* Feldgottheiten. – *Nymphis:* weibliche Wassergottheiten. – *beim Styx:* Fluß der Unterwelt, benannt nach der dort wohnenden Nymphe Styx, die die Eidesgöttin ist. – *Ganymed:* seiner Schönheit wegen von Zeus geraubt und als Mundschenk zu den Göttern gebracht. – *Pan:* Wald- und Hirtengott. – *Lykaon:* König von Arkadien, wegen seiner und seiner Söhne Gottlosigkeit hat Zeus der Sage nach eine Sintflut geschickt.

S. 78 *natürlicher:* sterblicher. – *Fürsichtigkeit:* Umsicht. – *Narcissum:* Der Jüngling Narcissus war so schön, daß er sich in sein Spiegelbild verliebte und aus Sehnsucht nach sich selbst starb. – *Adonidem:* Adonis war der schöne Geliebte der Aphrodite. – *Aufsehen:* Ansehen. – *Mercurius:* lat. Name des Götterboten Hermes.

S. 79 *Pallas:* Athene, hier als Göttin der Wissenschaft. – *Parnasso:* Parnaß, ein Apoll und den Musen geweihter Berg. – *Vulcanus:* lat. Name des Hephaestos, des Gottes des Feuers und der Schmiedekunst. – *hora Martis:* Stunde des Kriegsgottes Mars. – *Potentaten:* Machthabern. – *Armada:* große Flotte. – *Schweizer Meil:* Sie maß 5000 Schritt, die deutsche nur 4000.

S. 80 *Akzisen:* Verbrauchsteuern. – *Gülten:* Pachtzinsen. – *Umgelten:* Abgaben. – *Fronen:* Frondienst leisten. – *Elysischen Feldern:* Ort der Seligen. – *Chorum Deorum:* Chor der Götter. – *Helikon:* Berg der Musen.

S. 81 *ohnexemplarisch:* beispiellos. – *Fabricii:* Cajus Fabricius Suscinus, verhandelte nach der Schlacht bei Heraklea (280 v. Chr.) mit König Pyrrhus über den Austausch von Kriegsgefangenen und ließ sich dabei trotz großer Versprechungen nicht als Friedensvermittler für Pyrrhus gewinnen. – *Ja-Herrn:* wahrscheinlich ›wirkliche Herren‹. – *Kriegsgurgeln:* Schimpfwort für Landsknechte. – *Manoah:* Stadt in Venezuela, berühmt wegen ihres Goldreichtums.

S. 82 *Mogor:* Mogul, asiatischer Herrschertitel. – *große Tartar Cham:* Großkhan, tatarisch-mohammedanischer Herrscher Persiens. – *Priester Johann:* Nach einer mittelalterlichen Sage herrschte der Priester Johannes über ein christl. Reich in Innerasien, die Sage wurde später auf Abessinien übertragen. – *inkorporierte:* einverleibte.

S. 83 *Ptolemäus Philadelphus:* ägypt. König (285–246 v. Chr.),

151

ließ das Alte Testament von 72 Gelehrten ins Griechische übertragen, daher diese Übersetzung »Septuaginta«. – *ein Que:* einen Einwand.

S. 84 *Plutone:* Pluto, Gott der Unterwelt. – *Kongregation:* Versammlung. – *Konklave:* abgeschlossener Raum, in dem der Papst von den Kardinälen gewählt wird. – *ad rem:* zur Sache.

S. 85 *mich zur Hur zu machen:* Simplicius spielt hier auf seine Erlebnisse in Frauenkleidern an.

S. 86 *einen Hasen im Busem habe:* einen Narren in sich trage. – *Gemächts:* Machart. – *zeitig:* reif. – *veielbraun:* violenbraun. – *ausgemacht:* ausgestattet.

S. 87 *englischer:* engelhafter.

S. 88 *weder Petrisch noch Paulisch bin:* weder katholisch noch protestantisch bin. – *in die Schanz schlagen:* aufs Spiel setzen.

S. 89 *Conrad Vetter:* Münchner Jesuit († 1622), wandte sich scharf gegen den Protestantismus. – *Johannes Naß:* Franziskaner in Ingolstadt (1534–90), ebenso wie Vetter erbitterter Gegner der Lutheraner. – *Spangenberg:* Theologe und Historiker (1528–1604). – *Ananias:* einer der Bekehrer des Paulus; indem er im Auftrage Gottes dem Saulus die Hand auflegt, wird dieser wieder sehend, vgl. Apostelgesch. 9,10 ff.

S. 90 *Leffelei:* Buhlerei.

S. 91 *Krabat:* Kroat. – *aufzurucken:* vorzuhalten. – *ihn . . . gemeint hätte:* gegen ihn gesinnt gewesen wäre.

S. 93 *diesen Weg:* auf diese Art. – *gemüßiget:* genötigt.

S. 95 *Beau Alman:* der schöne Deutsche. – *Euridicen:* Die Alte spielt hier auf Simplicius' Theaterauftritt in der Rolle des Orpheus an.

S. 96 *Bisam:* auch Moschus genannt, Duftstoff aus einer Drüse des Moschusochsen, Grundstoff in der Parfümerzeugung. – *Cammertuch:* Leinen aus Cambrai. – *Daffet:* Taft, Seidenstoff.

S. 97 *überstellt:* gedeckt. – *heroische:* Heroinen, Halbgöttinnen gleichende. – *daß ich keine Wahl darunter sehen könnte:* daß mir zu wählen nicht möglich sei. – *Fuchsschwanz:* Schmeichelei.

S. 98 *Tapezerei:* Tapete, Tapetenwerk. – *Alle:* frz. ›allez‹: nun kommt. – *Lefze:* Lippe.

S. 99 *Ploch:* Block, Klotz. – *Pistolet:* Goldmünze. – *Kindsblattern:* Pocken.

S. 100 *Cornelium:* Augenstar, Augenkrankheit. – *extraordinari:* außerordentliches.

S. 101 *Urschlechtmäler:* Pockennarben.

S. 102 *Purpeln:* Pockengeschwüre. – *nichts anlag:* nichts bedeutete. – *berücken:* fangen, erwischen. – *Wippe:* Wippgalgen, an dem der Verurteilte auf und nieder gewippt wurde.

S. 103 *Sodomiten:* Sodomie, Unzucht mit Tieren.

S. 104 *mit einem Schelm ...:* mit Schimpf und Schande davonjagen. – *Steckenknecht:* Gerichtsdiener, zur Vollstreckung der Prügelstrafe. – *Graf von Götz:* General Johann Graf von Götz (1599–1645), bis 1626 auf protestantischer, dann auf kaiserlicher Seite kämpfend. – *Bruchsal:* badische Stadt, Hauptquartier des Grafen Götz vom 4. bis 14. Juni 1638.

S. 105 *Umfahen:* Umarmen.

S. 106 *verobligiert:* verpflichtet.

S. 107 *diskursent:* gesprächsweise. – *Grafen von der Wahl:* Joachim Christian Graf von der Wahl († 1644), bayrischer Generalfeldzeugmeister. – *perturbiern:* verwirren. – *Merodebrüder:* Diese Bezeichnung hängt wahrscheinlich mit dem Verhalten der Soldaten des schwedischen Obersten Werner von Merode zusammen, die 1635 nach einer Meuterei plündernd durch das Land zogen. – *Immenschneider:* Honigschneider. – *Brumser:* Drohnen.

S. 108 *Zügeinern:* Zigeunern. – *versinken:* umsinken. – *spolieren:* berauben. – *Scharwacht:* Wache aus mehreren. – *Kommiß:* Lebensmittel. – *Rumormeister:* Chefs der Militärpolizei. – *Generalgewaltiger:* Generalprofoß, oberster Militärrichter.

S. 109 *weimarisch:* bei dem für die Schweden kämpfenden Herzog Bernhard von Weimar.

S. 110 *mich so übel gemeint:* mir so Übles antun wollen. – *Waldfischer:* Buschräuber. – *Intraden:* Einkünfte.

S. 111 *Machiavellum:* Niccóló Machiavelli (1469–1527), vertritt in seinem Buch »Il principe« die unbeschränkte Fürstenmacht.

S. 113 *Bläsi:* St. Blasius, in Baden Schutzpatron der Haustiere; hier sprichwörtlich: wenn an einem Ort niemand da wäre. – *Praeminenz:* Vorrang. – *Debitores:* Schuldner. – *anzudeuten:* bekanntzugeben. – *Judenspieß führen:* Wucher treiben, da die Juden keine Waffen tragen durften.

S. 114 *ausrichten:* bereden. – *zween geistliche Vätter:* wahrscheinlich Anspielung auf die Auseinandersetzung zwischen dem

Gefolge des Bischofs Wetzel von Hildesheim und dem des Abts Widerad von Fulda im Jahre 1063 im Dom zu Goslar. – *ließe . . . unterwegen:* würde es noch übersehen.

S. 115 *Freundschaft:* Verwandtschaft. – *Schnitz:* Streiche.

S. 116 *ausbäheten:* trockneten, erwärmten. – *aufgepaßten:* angelegten. – *gleichmäßigen:* ebensolchen. – *Arturi:* Artus, der Sage nach keltischer König. – *Caliburn:* Schwert des Artus.

S. 117 *Schwabenhaid:* Leutkircherheide, auf der die sog. ›Laustanne‹ stand, unter der sich die Fahrenden die Läuse gegenseitig absuchten.

S. 118 *hiesche:* bat.

S. 119 *exorzisieret:* beschwor, um den Teufel auszutreiben.

S. 120 *foppt sich nur:* macht sich nur lustig.

S. 121 *Baden:* Badeort im Kanton Aargau in der Schweiz.

S. 122 *Grießbach:* Badeort im Renchtal im Schwarzwald, nahe dem Kniebis, damals Modekurort. – *Jovem:* Akkusativ zu Jupiter.

S. 123 *Rotgießer:* Erzgießer. – *Stücken:* Kanonen. – *Feuermörseln:* Feuermörser, besondere Art von Geschützen.

S. 125 *Gnädiger Hearr . . .:* Gnädiger Herr, ich darfs euch wahrlich nicht sagen. – *Städtgen:* Gemeint ist Gaisbach im Renchtal. – *zugefallen:* eingefallen. – *Bankert:* ›auf der Bank gezeugtes Kind‹, uneheliches Kind.

S. 126 *Ding:* Sache. – *Gehenk:* Eingeweide. – *Abdecker:* Wortspiel mit ›Apotheker‹. – *Mansfelder Krieg:* Graf Ernst von Mansfeld schlug Tilly am 27. April 1622 bei Wiesloch; Mansfeld vereinigte sich mit dem Herzog von Braunschweig nach dessen Niederlage bei Höchst am 22. Juni 1622.

S. 127 *griffen wir . . . auf die Hauben:* nahmen wir sie auch beim Schopf, griffen wir sie an. – *auf Welsch:* auf Italienisch, vielleicht aber überhaupt ›in fremder Sprache‹.

S. 128 *ehistes:* sobald als möglich. – *Paternoster:* Rosenkränze. – *Geschmeiß:* Geschmeide. – *Melchior Sternfels von Fuchsheim* (Fugshaim): Anagramm (Buchstaben in umgestellter Reihenfolge) aus Christoffel von Grimmelshausen.

S. 129 *Pettern:* Petter elsäßisch ›Pate‹. – *Mummelsee:* Dieser See liegt am Südosthang der Hornisgrinde (1032 m) im Schwarzwald. In ihm leben keine Fische, und er gilt im Volksglauben als Aufenthaltsort von Geistern (vgl. dazu Mörikes Gedicht »Die Geister am Mummelsee«). Der Name leitet sich wahr-

scheinlich von ›Mummel‹: ›vermummter Wassergeist‹, vielleicht aber auch von ›mummeln‹: ›murmeln‹ her.

S. 130 *Gerechtigkeit:* Anrecht. – *Valor:* hier ›Wert‹. – *Exempel:*
Gleichnis, vgl. Matth. 13,24 ff.

S. 131 *Keller:* Kellermeister. – *Dellerlecker:* Schmeichler. – *unterhabender:* der unter ihrer Herrschaft stehende. – *centro
terrae:* Mittelpunkt der Erde. – *Troglodyten:* Höhlenbe-
wohner, als das ›Troglodytenland‹ galt Abessiniens Küste. –
*convoyiert:* begleitet. – *Pilatussee:* kleiner See auf dem Pila-
tus am Vierwaldstätter See. – *obgemeldeten See: Camarina:*
sumpfiger See bei der Stadt Camarina auf Sizilien. Simplicius hat sich mit dem Fürsten vom Mummelsee schon vorher
darüber unterhalten. – *Importunität:* Zudringlichkeit.

S. 132 *Sybillen:* Prophetinnen.

S. 133 *konjekturieren:* vermuten. – *Eusebius:* E. v. Caesarea (um
270–340), erster christl. Kirchengeschichtsschreiber. – *Hieronymi:* Der hl. Hieronymus (um 330–420) übersetzte das Alte
Testament ins Lateinische. – *Bedae:* Beda Venerabilis, ›der
Ehrwürdige‹ (674–735), angelsächsischer Kirchenlehrer. –
*Borromaei:* Carlo Borromaei (1538–84), Kardinal und Erz-
bischof von Mailand, heiliggesprochen. – *Hylariones und
Pachomi:* Mitbegründer des Mönchtums, waren Schüler des
hl. Antonius, Hilarion (291–371), Pachomius († 348). –
*Religiosi:* Theologen. – *Wildnus:* Die ersten Mönche, z. B.
der hl. Antonius, lebten in der thebanischen Wildnis in
Ägypten.

S. 134 *Vörteln:* Vorteile. – *Knäul Garn nachwerfen:* hieß bei
Schneidern und Webern ›stehlen‹.

S. 135 *besorgenden:* zu besorgenden. – *zusammenheben:* zusam-
menhalten. – *Oraculum Apollonis:* Orakel des Apollo in
Delphi.

S. 137 *Guevarae:* Antonius de Guevara (um 1490–1545), spani-
scher Schriftsteller, schrieb ein Werk mit dem Titel: »con-
temptus vitae aulicae et laus ruris« (Verachtung des Hof-
lebens und Lob des Lebens auf dem Lande). Grimmelshausen
hat das 24. Kap. fast wörtlich aus diesem Werk übernommen.

S. 138 *Urlaub:* Abschied. – *Giebige:* das Gute. – *Hochtragenden:*
Hoffärtigen. – *verschamt:* schamlos.

S. 139 *Zeitungen:* Nachrichten. – *Fünd:* Listen. – *content:* zufrieden.

S. 140 *injuriert:* beleidigt. – *Wolf:* Lupus, Hautkrankheit. – *Gries:* Steinleiden. – *Hinfallen:* Epilepsie.

S. 141 *umgezogen:* hin und her geschleift.

S. 142 *von mir wirst aussetzen:* von mir ablassen wirst. – *um:* dafür.

S. 143 *Posui . . . valete:* Ich habe meinen Sorgen ein Ende gesetzt, Hoffnung und Glück, lebet wohl.

# NACHBEMERKUNG

Grimmelshausens *Simplicissimus* gilt als erster bedeutender deutscher Prosaroman. Eine gekürzte Ausgabe bedarf daher der Begründung.

Die Frage nach dem ›warum‹ einer solchen Ausgabe läßt sich verhältnismäßig leicht beantworten. Will man auf den *Simplicissimus* im Oberstufenunterricht des Gymnasiums nicht ganz verzichten, so wird man ohne eine Ausgabe dieser Art kaum auskommen. Dafür gibt es zwei Gründe: Die Proben in den Lesebüchern sind zu dürftig, der ganze Roman hingegen ist für die Arbeit in der Schule zu umfangreich.

Entschließt man sich nun aus dieser Situation heraus zu dem Kompromiß einer gekürzten Ausgabe, dann stellen sich zwei weitere Fragen, nämlich, *ob* die Auflösung des Romanganzen in eine Auswahl einzelner Kapitel überhaupt zu vertreten ist und, falls dies bejaht werden kann, *was* es auszuwählen gilt. Diese beiden wichtigen Fragen kann man nur durch eine Analyse des Romans zu beantworten versuchen. Grundzüge einer solchen Analyse seien hier knapp skizziert.

Als »überaus lustig und männlich nutzlich« kündigt das Titelblatt des *Simplicissimus* dem Leser die Lektüre an. Worin das Vergnügen der Lektüre bestehen soll, liegt auf der Hand: Da gibt es »Stücklein« und Abenteuer, Närrisches und Derbes, Märchenhaftes und Galantes, alles das ist unterhaltsam, ist lustig. Was hat es aber mit dem Nutzen auf sich? Nun, schon der Anfang des Romans zeigt den Zeitkritiker Grimmelshausen. Im weiteren Romanverlauf bleibt die kritische Einstellung erhalten, wenn auch mit einigen Modifizierungen. Neben den zeitkritischen Bemerkungen, die sich bis zu selbständigen ironisch-satirischen Einlagen (Ständebaum-Allegorie, Jupiter-Episode, Mummelsee-Episode) ausweiten und nur noch lose mit dem Romangeschehen verbunden sind, ist ein Teil der kritischen Erörterung betont religiös-moralischer Art und eng mit dem Handeln der Hauptfigur verbunden. Die Diskurse des Simplicius mit Geistlichen über Sünde und Schuld, über Reue und Buße

sowie seine immer wieder vorgebrachten Selbstanklagen ge-
hören dazu.

Man kann demnach von drei Schichten des Romans sprechen:
einer historisch-unterhaltenden, einer ironisch-satirischen mit
zeitkritischer Funktion und einer religiös-moralischen, die
mit dem Handeln des Helden zusammenhängt. Hierbei be-
rührt die letztgenannte Schicht immer wieder die Frage:
Wie findet der Mensch in einer bösen Welt, in der er jederzeit der Sünde verfallen kann, ein seliges Ende? Mit dieser
Fragestellung gewinnt die Schicht eine heilsgeschichtliche
Färbung, die sich besonders deutlich in der Einsiedlerproble-
matik und in der auf das »nosce te ipsum« folgenden Welt-
absage des V. Buches zeigt.

Der versprochene Nutzen der Lektüre liegt also darin, daß
der Leser über die Gefährdung und die Unzulänglichkeit des
Menschen aufgeklärt wird. Das geschieht an Hand von typi-
schen Beispielen, an denen es in Zeiten des Krieges natürlich
nicht mangelt.

Zu fragen bleibt, wie diese Schichten integriert sind. Auch
das kann nur angedeutet werden.

Es ist nicht so, daß diese drei Schichten jeweils streng funk-
tional aufeinander bezogen sind. Obgleich in den fünf
Büchern des Romans eine Kompositionsabsicht sichtbar wird
– die dialektisch durchgeführten Schemata Sünde–Buße und
Glück–Unglück sowie der Einsiedler-›Rahmen‹ zeigen das –,
läßt sich doch an nicht wenigen Stellen nachweisen, daß der
Erzähler Grimmelshausen innerhalb dieses Rahmens durchaus additiv vorgegangen ist: Erzählteile, wenn auch äußer-
lich durch den Helden verbunden, könnte man weglassen
oder austauschen, ohne daß dies dem Ganzen sonderlich
schaden würde. Das gilt vor allem für etliche »Stücklein«
und Abenteuer und die dazugehörigen moralischen Erörte-
rungen. Der Grund dafür liegt in der Anlage des Simplicius.
Er ist weniger ein Charakter, an dem eine innere Entwick-
lung sichtbar wird, als vielmehr eine Figur, die durch ver-
schiedene Situationen geführt wird und die ihr Handeln
moralisch kommentiert oder von anderen kommentieren

und erörtern lassen muß. Simplicius zieht aus dem so kommentierten Handeln kaum Konsequenzen für sein künftiges Verhalten, jedes neue »Stücklein« ist daher nicht unbedingt auf die vorhergehenden bezogen.

Eine Antwort auf die beiden eingangs gestellten Fragen kann nach den bisherigen Ausführungen folgendermaßen aussehen: Grimmelshausens Roman läßt die Zusammenstellung einer Kapitelauswahl zu, weil eine strenge Funktionalität der Erzählteile auf Grund der noch nicht sehr ausgebildeten Erzählpsychologie fehlt.

Diese Feststellung sagt nichts über den Rang des Romans aus, sie weist aber darauf hin, daß Dichtung des 17. Jahrhunderts nicht ohne weiteres mit Begriffen des 19. Jahrhunderts verstanden werden kann: Die Begriffe des Entwicklungs- und Bildungsromans haben in Zusammenhang mit der Erzählpsychologie beim *Simplicissimus* die meiste Verwirrung gestiftet.

Was die Auswahl der einzelnen Kapitel anbetrifft, so muß der angedeutete Schichtenbau proportional verkleinert in eine gekürzte Ausgabe übernommen werden.

In dieser Weise ist der Herausgeber verfahren; er ist sich aber im klaren, daß sich Einwände gegen einen solchen Kompromiß nie ganz werden ausräumen lassen.

Der Text folgt der von Hans Heinrich Borcherdt besorgten Edition der Erstausgabe in Reclams Universal-Bibliothek. Wenn irgend möglich, erscheinen nur Kapitel, die in sich ungekürzt sind; notwendige Kürzungen sind kenntlich gemacht. Der Zusammenhang zwischen den einzelnen Kapiteln wird durch Zwischentexte hergestellt.

WERNER KOHLSCHMIDT

# Geschichte der deutschen Literatur vom Barock bis zur Klassik

*Band II der Geschichte der deutschen Literatur von den Anfängen bis zur Gegenwart*

*956 Seiten mit 112 Abbildungen*

Hier wurde außerordentlich viel an Forschung und Weiterführung des wissenschaftlichen Gesprächs investiert. Dabei liest sich die Darstellung, vom fachsprachlichen Parteichinesisch befreit, locker und schnörkellos. Der Stoff ist in vier etwa gleich lange Teile gegliedert: Barock, Aufklärung (der Pietismus, einleuchtend, eingeschlossen), Sturm und Drang sowie Klassik (bis zu Schillers Spätdramen). Der Verfasser verzichtet fast ganz auf geistesgeschichtliche »Hinführungen«, sondern geht immer gleich medias in res. Die media res ist die interpretierende Auseinandersetzung mit dem Werk. Dieses wird nicht selten »exemplarisch« erfaßt, aus einer Episode o. ä. gedeutet, wobei das Textzitat Atmosphäre gibt. Neu und wohl bedachte Gesichtspunkte kommen überraschend oft und in der rechten Distanzhaltung zum Gegenstand zur Geltung. Der Blick aufs geschichtliche Phänomen wird wohl gewahrt, Historismus als Ausweg aber nicht zugelassen. Die methodisch heute von vielen angestrebte Verbindung von Interpretation und Geschichte scheint mir hier gut geglückt.

*Hans Fromm*
*in »Wissenschaftlicher Literaturanzeiger«*

PHILIPP RECLAM JUN. STUTTGART